Inhoud

Yvonne Kroonenberg

Voor altijd mijn pony

Sophie

Leopold / Amsterdam

Boeken van Yvonne Kroonenberg

Sophie
Mijn pony, mijn pony
De zomer met mijn pony
Voor altijd mijn pony

Rosa
Rosa's verzorgpony
Rosa's ponyvrienden
Rosa's droompony

Kijk ook op www.yvonnekroonenberg.nl

Eerste druk 2014
© 2014 tekst: Yvonne Kroonenberg
Omslagontwerp: Petra Gerritsen
Omslagfoto: Mark Sassen
Op het omslag: Aaltje met haar pony Jolly, met dank aan de
Hollandsche Manege, Amsterdam
Uitgeverij Leopold, Amsterdam / www.leopold.nl
ISBN 978 90 258 6616 7 / NUR 283

Uitgeverij Leopold drukt haar boeken op papier met het FSC®-keurmerk. Zo helpen we waardevolle oerbossen te behouden.

Roddelen

Senna roddelt niet. Een beetje jammer is dat wel, want ik had iets te vertellen wat ze echt wilde horen: 'Tineke heeft ruzie met een mevrouw.'

Tineke is onze instructrice.

We stonden bij mijn pony, Sundance. Senna is mijn bijrijdster. Ze had Sundance met zijn halster aan een ring buiten de box vastgezet. Ze was hem aan het poetsen toen ik bij haar kwam staan. Senna hield op met roskammen.

'Nou, vertel?' zei ze. Dus ze was toch nieuwsgierig.

Ik leunde met mijn arm op Sunny's rug.

'Het gebeurde op zaterdag in de volwassenenles,' begon ik, 'met die eigenaresse van Moonlight.'

Senna ging verder met poetsen alsof ze niet echt luisterde, maar ik ken haar nu een beetje. Ze was een en al oor. Ze kan Tineke niet uitstaan en die mevrouw van Moonlight vindt ze ook niet aardig. Dat is ze ook niet. Ze moppert altijd en ze commandeert iedereen om zich heen. Senna is stalmeisje geweest in deze manege, dus zij heeft veel last gehad van mevrouw Moonlight. Ik weet niet hoe ze echt heet.

'Ik stond naast de tribune naar de les te kijken,' ging ik verder. 'Tineke gaf die mevrouw een aanwijzing, dat ze haar handen stil moest houden of zo. En toen snauwde mevrouw Moonlight terug. Dat ze haar best deed, maar dat haar paard zo hoog opgooide.'

'Dat doet hij ook,' zei Senna.

Ik knikte. Je kunt het zien als Moonlight draaft. Dan beweegt zijn rug heel erg, zodat degene die erop zit zowat door de lucht vliegt. Daar wen je wel aan, als je vaak rijdt. Deze mevrouw is er nooit aan gewend, denk ik. Ze rijdt raar, houterig.

Maar ik was nog lang niet klaar met mijn verhaal. 'Tineke zei dat ze geen discussieclub had. Dat mevrouw Moonlight gewoon moest luisteren. De mevrouw werd kwaad en in plaats van iets terug te zeggen, gaf ze haar paard een paar klappen met de zweep. Toen moest ze afstijgen van Tineke.'

Senna ging rechtop staan en keek me met half toegeknepen ogen aan.

'Ik heb een hekel aan Tineke, maar daar had ze wel gelijk in.'

'Moonlight is hartstikke lief volgens mij. Sundance had haar er meteen af gegooid, denk je niet?'

Senna ging niet in op wat ik zei.

'Ging die vrouw de les uit?' vroeg ze.

'Eerst niet. Ze schreeuwde dat ze Tineke brutaal vond en dat ze zou klagen bij de baas.'

Ik deed een stapje achteruit en deed na wat Tineke terugzei. Ik zette een schelle, boze stem op: 'O ja? Vindt u dat? Dat moet u dan maar direct gaan doen. Meneer Rozendaal is in zijn kantoor.'

Senna schoot in de lach.

'En toen?' vroeg ze nieuwsgierig.

'Toen stapte de mevrouw af en ging de rijbaan uit. Ik bleef nog even staan om te kijken hoe het verderging, maar Tineke ging gewoon door met de les.'

'Zeiden de andere ruiters niets?' vroeg Senna met gefronste wenkbrauwen.

Ik schudde mijn hoofd. Eigenlijk was dat best gek. Kinderen zouden nooit iets terug durven zeggen, maar dit waren volwassenen. Als die ontevreden zijn, houden ze zich echt niet in. Mijn moeder zet zelfs een speciale stem op als iets haar niet bevalt. Maar misschien is deze groep bang voor Tineke. Ze zijn nog niet zo lang op paardrijles. Eigenlijk bewegen ze allemaal een beetje houterig.

'Is mevrouw Moonlight gaan klagen bij meneer Rozendaal?'

'Ik denk het niet. Tineke is familie van hem. Die valt hij heus niet af.'

Ik keek op mijn telefoon, het was bijna tijd om de les in te gaan. Op maandag kom ik pas om halfvier uit school. Daarom poetst Senna voor mij en rij ik. Zo deden we het vroeger ook, toen zij nog stalmeisje was. Maar nu delen we mijn pony en rijden we ongeveer even vaak. Ik poets soms ook voor haar als zij laat is.

Senna pakte het zadel en even later stond Sunny voor me klaar.

'Ik moet meteen door naar huis,' zei ze.

Ze legde het halster in de voerbak en zette de poetsdooseronder, helemaal tegen het schot, zodat mijn pony er niet in kon stappen als hij terugkwam. Ze liep weg zonder te groeten. Zo is Senna, ze bedoelt het niet verkeerd.

Ik voelde onder Sunny's buik of de singel strak zat. Nog niet. Ik nam mijn pony bij de teugel en liep naar de ingang van de binnenrijbaan.

Het was maandag. Meestal geeft Frank dan les, maar op het bord stond dat hij twee weken met vakantie was. Daarom viel Tineke voor hem in. Misschien was ze tegen die mevrouw tekeergegaan omdat ze zo hard moet werken.

Ik was benieuwd of ze nog steeds boos was, sinds zaterdag.

De beginnersles van halfvier was nog bezig. Die duurt maar een halfuur. De kinderen zijn acht of negen. Jonger mogen ze niet op ponyles, want als ze vallen, komen ze op hun hoofd terecht en dat is gevaarlijk. Kleine kinderen schijnen een groot hoofd te hebben. Niet echt natuurlijk, maar in vergelijking tot hun lichaam. Dat heeft Senna me verteld. Zij weet echt veel van paardrijden. Af en toe vertelt ze iets, niet zo vaak, want ze houdt niet zo van praten. Senna vindt bijna nooit iets leuk. De meeste mensen mag ze ook niet. Maar sinds we Sunny delen, denk ik dat ze geen hekel meer aan me heeft. We gaan ook af en toe naar het dorp waar ik vroeger woonde. Daar helpt ze dan in de manege en dat vindt ze fantastisch. Ze kan goed opschieten met Maaike en Lutske, mijn hartsvriendinnen. Dat is maar goed ook, anders zou ik haar niet midden in mijn leven willen hebben.

De andere kinderen kwamen nu ook een voor een aan met hun pony. De meeste ken ik wel, maar ik praat haast nooit met ze. Ik ben niet zo erg als Senna, maar ik kan ook erg goed niks zeggen.

Les

Janine, het hoofd-stalmeisje, zwaaide de toegangsdeur
open.

'Kom binnen,' zei ze en ze riep meteen: 'Deur vrij!'

Dat hoor je te roepen voor je binnenkomt. Dan weten de mensen die aan het rijden zijn, dat ze ruimte moeten maken. Maar er was niemand op de hoefslag. De beginners waren afgestegen en stonden te wachten op het midden. Daarna kwamen een paar ouders om hun kinderen te helpen de pony's op stal te zetten.

'Loop met je pony linksom over de hoefslag tot de anderen de rijbaan uit zijn,' riep Janine naar ons. 'De ruiters van het vorige uur mogen een voor een rustig naar de deur!'

Zo gaat het elke week.

Janine hielp ons met opstijgen en nasingelen. Ik kan het zelf. Sunny is niet zo groot en ik ben deze zomer gegroeid. In oktober word ik dertien.

Ik trok de singel goed strak. Sundance hapte naar me, maar ik zorgde er wel voor dat hij me niet kon bijten en dat wil hij ook niet echt. Het is meer dat hij het vervelend vindt als je aan de singel, de riem van het zadel, trekt.

Tineke kwam pas toen we al een paar rondjes aan het stappen waren.

'Neem de teugels op maat!' commandeerde ze. 'We gaan van F naar H van hand veranderen in stap, Sundance aan het hoofd.'

Ik keek verbaasd op. Ze laat mij bijna nooit voorop rijden. Ik keek naar de letter F en stak schuin over naar de letter H.

'Netjes,' prees Tineke en ze zette meteen een harde stem op tegen het meisje dat achter me reed: 'Jij op Monami! Beter sturen! Je gaat pas van de hoefslag af als je been bij de letter is!'

We reden nog een paar figuren in draf, toen mochten de pony's even aan de lange teugel stappen om op adem te komen. Ik keek naar Tineke. Ze stond op haar telefoon te kijken. Haar lange vlecht lag over haar schouder. Met haar vrije hand plukte ze eraan. Na een paar minuten stopte ze haar telefoon weg en keek naar de rij pony's.

'We nemen de teugels weer op maat. Van hand veranderen bij H, Aurora aan het hoofd. Bij aankomst op de hoefslag in draf!'

Eliza, een slank blond meisje, zat op Aurora. Maar Tineke noemt nooit de namen van de kinderen, alleen die van de pony's.

'Bij C op de grote volte, tweemaal rond en aanspringen in de rechtergalop!'

Sunny legde zijn oren plat, net voor hij in galop ging. Hij was gespannen. Ik weet dat hij niet van schelle stemmen houdt. Ik denk dat geen enkele pony het prettig vindt dat Tineke zo hard praat. Een paar plaatsen voor mij in de rij hoorde ik Eliza iets roepen en het volgende moment vloekte Tineke.

'In stap!' riep ze. Ik had niet gezien wat er was gebeurd, maar Aurora had waarschijnlijk gebokt. Dat doet ze vaak. Eliza lag op de grond en de pony rende in het rond.

'Halt!' riep Tineke. Met grote stappen liep ze naar Aurora en dreef haar een hoek in. Ze pakte de teugel en liep naar Eliza, die in het zand zat te huilen.

'Kom op, hou op met janken. Heb je iets gebroken?'

Eliza schudde haar hoofd.

'Hup, opstaan en in het zadel. Niet zo kinderachtig.'

Ik wist niet wat ik hoorde. Kinderachtig? Ze was hartstikke dapper! Bijna niemand in onze les durft op Aurora omdat ze gekke dingen doet. Eliza wel. En aan de manier waarop ze overeind kwam, zag ik dat ze pijn had. Ze hinkte.

'Schiet op!' zei Tineke.

Maar Eliza kreeg haar voet niet in de beugel. 'Mijn enkel,' zei ze huilend.

Tinekes mond werd een boze streep. 'Steek je voet naar achteren,' commandeerde ze. Ze pakte haar bij haar onderbeen en tilde haar met een zwaai in het zadel.

'Au!' gilde Eliza.

'Teugels op maat en in draf!'

Niemand deed wat Tineke zei. We staarden allemaal naar Eliza.

'Mijn enkel!'

'Beweeg hem eens,' zei Tineke. Ze klonk nog steeds kwaad. 'Laat je maar op de grond glijden, zorg ervoor dat je op je goede been landt. Sophie, stijg af en geef je pony maar aan mij. Loop even met haar mee naar de foyer.' Ik durfde niets terug te zeggen, maar in mijn hoofd hoorde ik de stem van mijn moeder: 'Is dat mens wel goed bij d'r hoofd?'

Ik stuurde Sunny naar het midden van de rijbaan en steeg af. Tineke kwam naar me toe om de teugel over te nemen, maar ineens hoorde ik mezelf zeggen: 'Ik zet hem op stal.'

'Hoezo?'

'Ik blijf even bij haar.' Ik maakte een gebaar naar Eliza.

'Doe niet zo stom!' snauwde Tineke. 'Je moet Aurora ook meenemen. Die zet je op zijn plek, je waarschuwt Janine dat ze hem afzadelt en dan kom je terug in de les.'

Ik voelde dat ik kwaad werd, maar ik hield me in. Zonder iets te zeggen bracht ik Sundance naar Tineke en pakte de teugels van Aurora.

'Ik haal Sundance zo op,' zei ik. Als ik wil, kan ik de stem van mijn moeder nadoen. Tineke werd rood, maar ze zei niets terug.

'Gaat het?' vroeg ik aan Eliza. Ik ken haar vaag van het ponykamp van afgelopen zomer. We hebben toen nooit met elkaar gepraat, want zij was altijd samen met haar vriendin, Maxime. Ik ken ook niet alle kinderen van de les bij naam. Dat komt doordat ik niet met ze kan kletsen terwijl we staan te poetsen: Sundance heeft zijn box aan de ene kant van de stalgang en de manegepony's staan aan de andere kant, op de stand. Ze hebben geen eigen box, ze staan aan hun halster, naast elkaar, met een eigen voerbak en een waterbak.

Eliza hinkte naar de deur en hield hem open voor Aurora en mij.

'Ga maar naar de foyer, ik kom zo,' zei ik tegen Eliza. 'Heb je een telefoon? Kun je je ouders bellen?'

Ze schudde haar hoofd.

'Je mag de mijne wel gebruiken. Ik zal eerst Aurora naar haar plek brengen.'

'Ik ga mee,' zei ze. Ik keek haar aan. Ze zag wit en ze beet op haar onderlip.

'Doet het pijn?'

'Ja,' zei ze, 'maar ik wil haar nog wat lekkers geven.'

Ze stak haar hand in de zak van haar bodywarmer en haalde een worteltje tevoorschijn. Ik zette de pony op haar plaats en maakte het hoofdstel los.

'Kom maar,' zei ik. Ze hinkte naar Aurora toe en deed haar het halster om. Terwijl ik het zadel losmaakte, gaf ze de wortel.

'Ik breng haar spullen weg,' zei ik.

Eliza knikte. 'Ik maak haar rug nog even droog met stro,' zei ze.

Toen ik terugkwam, stond ze nog bij Aurora.

'Wacht even tot ik Sunny heb opgehaald,' zei ik, 'of wil je eerst je ouders bellen?'

'Haal hem maar.'

'Deur vrij!' riep ik hard terwijl ik de toegangsdeur van de binnenrijbaan openmaakte. Ze waren aan het draven, zag ik. Tineke was op Sunny gaan zitten en reed voorop. Het leek wel of ik vanbinnen ontplofte, maar ik wist niet wat ik moest zeggen.

'In stap!' riep Tineke. Ze stuurde Sundance naar het midden en steeg af.

'Ga er maar weer op,' zei ze.

Ik gaf geen antwoord, pakte de teugels en draaide me om.

'Deur vrij!' riep ik weer. Het klonk schor, alsof ik elk moment kon gaan huilen. Dat zouden dan tranen van woede worden. Ik heb een hekel aan Tineke. Sundance is míjn pony en ik ben de enige die bepaalt wie erop mag rijden. Dat weet Tineke best. Maar ze weet ook dat ik geen ruzie met haar durf te maken. Ze is de instructrice en ik ben maar een kind. En dan is zij ook nog familie van de baas.

Ik liep snel naar Sunny's box en zadelde hem af. Hij was niet bezweet, eigenlijk had hij te weinig gedaan, maar voor één keer vond ik dat niet zo erg. Morgen was het Senna's dag, zij pakt hem wat meer aan dan ik. Zij rijdt beter en ze is ook twee jaar ouder dan ik.

Ik pakte het zadel en hoofdstel. De poetsdoos en het halster zette ik buiten de box. Die zou ik later nog wel ophalen om naar mijn kastje te brengen.

'Ik ben zo bij je!' wilde ik in het voorbijgaan tegen Eliza roepen, maar toen zag ik dat ze er echt niet goed uitzag. Ze leunde tegen Aurora's flank.

Ik legde het zadel op de grond en pakte mijn telefoon uit mijn zak.

'Weet je het nummer van je moeder uit je hoofd?'

Ze noemde de cijfers op. Ik gaf de telefoon aan haar.

'Mam? Ik ben gevallen. Kun je me halen?'

Ze luisterde, terwijl ze over haar voorhoofd wreef.

'Nee, ja, ik weet niet.'

Het was even stil.

'Ja, ik wacht wel. Nee, dat geeft niet.'

Ze gaf mijn mobiel terug.

'Ze komt me zo halen, maar ze is op haar werk.'

'Ik blijf wel bij je.'

Ik hielp Eliza de vier treden tussen de stalgang en de foyer op. Ze had erge pijn, zag ik.

Netty stond achter de bar.

'Daar heb je dat meisje!' zei ze tegen de mevrouw van Moonlight, die aan de bar zat. Ik had niet gezien dat ze er was. Ze laat haar kastje altijd openstaan, daar kan ik aan zien dat ze ergens rondloopt. Maar ik was niet in de zadelkamer geweest.

Ik schoof een stoel naar achteren voor Eliza.

'Ik ga mijn zadel opbergen,' zei ik, 'gaat het?'

Ze knikte. Netty kwam aangelopen met een glas water.

'Wil je iets anders?' vroeg ik, 'cola of zoiets?'

Ze schudde haar hoofd.

'Doe toch maar,' zei ik tegen Netty, 'een glas appelsap. Zet maar op mijn rekening.'

Ik mag van mijn ouders zo veel bestellen als ik wil. Eens in de maand krijgen ze een rekening thuis gestuurd.

Terwijl ik naar de stal liep, keek ik op mijn telefoon hoe laat het was. De les was bijna afgelopen. Ik had geen zin om Tineke tegen het lijf te lopen. Het zadel lag nog waar ik het had achtergelaten, met het hoofdstel er slordig overheen gegooid. Ik bracht ze naar de zadelkamer en haalde de poetsdoos en het halster.

Sunny stond lekker met zijn hoofd naar beneden hooi te knabbelen. Hij deed net of hij me niet zag.

'Overmorgen ben ik er weer,' zei ik. Ik had nog wortels voor hem in de poetsdoos. Die legde ik in zijn voerbak. Hij kwam meteen naar me toe, maar ik had geen tijd om nog met hem te knuffelen. Ik had mijn moeder beloofd dat ik niet te laat thuis zou zijn. Ze was met haar zus, Angèle, de stad in geweest. Mijn tante wilde me nog even zien. En ik moest terug naar de foyer. Ik kon Eliza niet zomaar in haar eentje achterlaten.

Er stond een glas appelsap voor haar en ze zat met haar voet op een stoel. Haar rijlaars was opengeknipt. Ze huilde. 'Mijn laars,' snikte ze, terwijl ze naar het kapot geknipte leer wees. 'Het was mijn eerste paar leren laarzen!'

Haar enkel was rood en dik. Netty had ijs in een theedoek gedaan en legde die voorzichtig op haar voet. Ze maakte meelevende geluiden: *tss, tss*.

'Je zult wel een poosje niet kunnen rijden,' zei ze. 'Hoe kwam het eigenlijk dat je viel?'

'Aurora kan er niet tegen als de pony achter haar te dichtbij komt,' zei Eliza, 'dan bokt ze altijd. Ik probeer zo veel mogelijk achteraan te rijden, maar Tineke vindt dat onzin. Ik rij anders nooit in haar les, ik vind haar vreselijk.'

'Tja,' zei Netty, 'maar Frank is met vakantie.'

'Welke maat heb je?' vroeg ik, terwijl ik de opengeknipte laars oppakte. Maar ik had het al gezien, zevenendertig, iets kleiner dan ik heb. Misschien had ik nog een paar leren laarzen liggen.

De kinderen van de les kwamen de foyer binnen. Ze gingen meteen naar Eliza toe.

'Ik moet weg,' zei ik, maar ze hoorde me niet, geloof ik.

Buiten regende het een beetje. Ik pakte mijn regencape uit mijn fietstas en deed hem om. Het is maar een kwartier fietsen naar mijn huis. Zo heel nat zou ik niet worden.

Tante Angèle

Wij wonen in een wijk met grote huizen. Bij elk huis hoort een diepe tuin en een garage. Onze garage staat vol, want mijn ouders hebben allebei een grote auto. Angèles sportautootje stond op de oprijlaan. Ik zette mijn fiets tegen de achtermuur van de garage en ging via de zijdeur naar binnen.

Het liefst was ik meteen doorgelopen naar mijn kamer om een bericht naar Lutske en Maaike te sturen, maar het was al bijna zes uur. Ik moest meedoen met het borreluur.

Mijn moeder en mijn tante zaten op de bank met een glas wijn in hun hand. Mijn vader zat in een leunstoel.

'Ha, daar ben je!' riep mijn tante, 'we hebben iets leuks voor je.'

Ik zuchtte. Als mijn moeder en zij gaan shoppen, komen ze altijd met kleren voor mij thuis. Ik heb al meer dan genoeg, maar dan hebben ze weer 'iets leuks' gezien. Maar nu bedoelde Angèle wat anders.

'Ik ga voor je zorgen!' zei ze.

Ik trok mijn wenkbrauwen op.

'Papa en ik gaan een weekje weg,' legde mijn moeder uit, 'en Angèle past dan op jou.'

'Gezellig hè?' zei mijn tante.

'Waar gaan jullie heen?' vroeg ik.

'Naar Mallorca,' zei mijn vader, 'we gaan naar een huisje kijken.'

'Een huisje?'

'Hélène mailde dat er naast het huis van haar ouders iets vrijkomt en wij gaan kijken of het iets voor ons is.'

Hélène is de vriendin van mijn broer. Haar ouders hebben een vakantiehuis op Mallorca. Dat wist ik al, want ze praatte er de hele tijd over.

'Wanneer gaan jullie?'

'Vrijdagmiddag,' zei mijn moeder, 'als je uit school komt, ga je naar Angèle. Ik pak een koffer voor je in.'

Ik keek mijn tante aan.

'Dat is een beetje lastig,' zei ik, 'ik moet naar mijn pony en ik heb huiswerk.'

'Dat kun je toch meenemen?'

Mijn tante keek teleurgesteld. Ze wil zelf graag kinderen, maar ze heeft geen vriend. Ze komt nooit iemand tegen met wie ze wil trouwen.

'Weet je wat?' zei ik snel. 'Ik ga na school eerst naar huis en naar de manege. Dan kom ik daarna naar jou en dan blijf ik het hele weekend. Maar door de week is het handiger als jij hier logeert, want als ik iets vergeet of iets nodig heb, moet ik almaar op en neer fietsen tussen jou en hier en de manege en school.'

'Doe je wel je huiswerk?' vroeg mijn moeder.

Ik zuchtte. Op de basisschool hadden we nooit huiswerk, alleen af en toe een werkstuk. Maar sinds eind augustus zit ik op de montessorischool, de middelbare. Daar moet je steeds van alles doen. Het is niet zo moeilijk, je kunt vooruitwerken als het nodig is. Eigenlijk is het nog het lastigste om ervoor te zorgen dat mijn moeder niet de hele tijd over mijn schouder meekijkt. Ze wil me steeds overhoren, dus vertel ik haar niet altijd wat voor huiswerk ik heb.

'Je moet maar een beetje bijhouden wat ze moet doen,' zei mijn moeder tegen mijn tante.

Die zat te stralen. 'Leuk!' riep ze.

Ik kneep mijn ogen even dicht.

'Ga je douchen?' zei mijn moeder. 'Er hangt een paardenlucht om je heen. Ik heb kleren voor je klaargelegd.'

Onder de douche deed ik haar stem na, maar dan met een andere tekst: 'Fijn dat je thuis bent, Sophie! Hoe was het op de manege? Is een van de meiden van haar pony gevallen?

Wat erg! Wie was het? Eliza? Is dat niet dat leuke blonde meisje? Maar waarom ben je niet even bij haar gebleven? Wij konden best even wachten met de borrel en met het eten als dat nodig was geweest.'

Ik had gedacht dat ik om mezelf zou moeten lachen, maar het rare was dat ik tranen in mijn ogen kreeg. 'En nu we het er toch over hebben,' zei ik met mijn eigen stem, 'hadden jullie ook wel even aan mij kunnen vragen of ik het niet vervelend vind dat jullie zomaar zonder mij op vakantie gaan.'

Ik draaide de kraan dicht en droogde me af.

Ik ga lekker elke dag naar Sundance, nam ik me voor. Angèle heeft geen idee hoe mijn schoolrooster eruitziet en dat ga ik ook niet vertellen.

School

In onze klas zijn groepjes. De jongens zijn verdeeld in voet- baljongens – dat zijn ze bijna allemaal – en gamers. Het loopt ook wel door elkaar. Bij de meisjes is het anders. Er zijn vriendinnenclubjes. De meeste meisjes hebben één vaste vriendin en dan nog een of twee meisjes erbij. Vanaf de eerste dag wist ik met wie ik om wilde gaan: een klein donker meisje met een grote bril op en een knalroze rok aan. Ze keek grappig uit haar ogen. Ze heet Chelly.

Ik weet niet van wie het uitging, van mij of van haar, maar ineens zaten we naast elkaar en zo is het in bijna elke les. Op de eerste dag ging ze in de pauze bij de andere meiden staan. Ik wachtte even af.

Omdat ik niet wilde dat ze dachten dat ik me afzijdig hield, pakte ik mijn telefoon om te internetten. Dat hield ik een paar minuten vol en toen slenterde ik naar het groepje waar Chelly bij hoorde. Er waren nog drie groepjes. Het ene bestond maar uit drie meisjes. Die kenden elkaar vast van de basisschool, dus daar wilde ik niet naartoe. In het andere groepje stonden twee meisjes die ik meteen niet mocht. Ik weet nooit precies waar zoiets aan ligt. Misschien zag ik iets aan hun kleren wat ik niet leuk vond. Dus ging ik naar de meisjes bij Chelly.

Ze zag me aankomen en maakte meteen plaats. Ze is wel een kop kleiner dan ik.

Niemand zei iets over het nieuwe van de school. We deden net of het heel gewoon was om niet meer op de basisschool te zitten. Het gesprek ging over iets wat op de televisie was geweest. Ik had het niet gezien.

Terwijl zij kletsten, keek ik naar hun kleren. We hadden

allemaal min of meer hetzelfde aan: een spijkerbroek, een T-shirt en een soort wijd overhemd eroverheen. Mijn moeder had die ochtend een rok klaargelegd, maar die trok ik niet aan. Ze was al naar haar werk toen ik mijn kamer uitkwam, dus kon ze er ook niets van zeggen. Ze vindt het leuk om alles voor me te regelen, mijn kleren, mijn huiswerk, dingen die ik doe. Als ze visite heeft, moet ik een hand komen geven. Zo is het al vanaf dat ik heel klein was. De laatste tijd kan ik er gemakkelijker onderuit komen omdat ik Sundance heb. Als ik nog een rijbroek aanheb, hoef ik meestal geen hand te geven, want dat vindt ze niet hygiënisch, en als ik op mijn kamer ben, vergeet ze dat ik thuis ben. Dan zit ze lekker te praten met haar vriendin of wie daar maar op de bank met haar zit te zwammen. Ze drinken wijn en letten niet op mij.

Alleen als mijn vader er ook is en er is nog een echtpaar op bezoek, moet ik opdraven. Dan is er geen ontkomen aan, want dan gaan de vrouwen over hun kinderen beginnen en bedenkt mijn moeder dat ik er ook nog ben.

Chelly stootte me aan.

'En jij?' vroeg ze. Ik had niet opgelet.

'Wat ga jij straks doen, na de les?'

'Naar de manege,' zei ik, 'ik heb een pony.'

De andere meisjes keken meteen op.

'Wat leuk!' riep Chelly. 'Mag ik hem een keer zien?'

'Of is het een zij?' vroeg een ander meisje. Zij heet Amira.

'Het is een ruin, een jongen,' antwoordde ik. 'Als je het leuk vindt, kun je wel mee.' Dat laatste was tegen Chelly. 'Maar je kunt beter een keer in het weekend mee, dan heb ik geen haast. En als je op zondag komt, mag je er ook wel even op.'

'Nee hoor!' zei Chelly. 'Ik hoef er echt niet op! Ik vind paarden best eng. Maar ik wil hem wel zien.'

Later zei ze er niets meer over en ik liet het maar zo. Als

ze mee wilde, hoorde ik het wel. Vanaf die eerste dag ging ik elke pauze bij datzelfde groepje staan. Amira was best aardig en er waren er nog twee die ik wel leuk vond. Maar ik laat niet zomaar iedereen aan mijn pony komen.

Moonlight

Op woensdag reed ik weer. Ik had Senna de avond ervoor gebeld en gevraagd of Sunny erg druk was geweest.

'Nee, hoezo?' vroeg Senna.

Ik vertelde wat er met Eliza was gebeurd en dat Sunny dus niet zo veel had gedaan, in dat halve lesuur.

'O, daar kan hij wel tegen, hoor,' stelde Senna me gerust. 'Pas als je je pony de halve week laat staan, is het slecht voor hem.'

'Wat gebeurt er dan eigenlijk?'

'Eerst niks, hij kan fris zijn als je hem van stal haalt. Dan heeft hij veel te veel energie. Maar als je hem almaar laat staan, kan hij koliek krijgen. Paarden moeten bewegen.'

'Heb je gisteren buiten gereden?'

'In de buitenrijbaan.'

Senna vertelt nooit iets uit zichzelf en ik wist zo gauw niet wat ik verder moest vragen.

'Tineke zal wel weer lesgeven,' zei ik.

'Sterkte,' zei Senna en ze hing op.

Ik was vroeg op de manege. Mijn moeder had stukjes witlof en appelschillen voor me bewaard. Ze vergeet het vaak, maar nu had ze eraan gedacht. Ze voelt zich vast schuldig omdat ze vrijdag weggaat. Ik vind het ook niet leuk. Het kan me niet schelen als mijn ouders er niet zijn, maar dat ze er van tevoren niet met mij over hebben gepraat vind ik erg. Ze hebben eindeloos met mijn broer en Hélène gebeld over dat huis, maar niemand heeft tegen mij gezegd dat ze erheen gingen.

Ik keek in de foyer op het bord wie er in de les meereden. Eliza zit ook in de woensdagles. Zij rijdt twee keer per week.

Nu stond ze niet op het bord.

Ik ging naar mijn pony.

'Kijk eens, Sunny!' Ik stapte de box in en gaf hem de groente. Hij dook meteen zijn voerbak in. Daarna brieste hij en boog zich naar voren om nog wat te knabbelen aan zijn stro. Ik leunde tegen hem aan en ineens herinnerde ik me dat Lutske en Maaike de laatste keer dat ze bij hem waren zomaar op zijn rug waren geklommen. Dat was een paar maanden geleden, toen ik zelf nog niets met hem durfde. Ik pakte zijn manen met mijn linkerhand en met de rechter steunde ik op zijn schouder.

'Een, twee, drie,' telde ik hardop. Toen nam ik een sprongetje en ineens zat ik. Sunny richtte zich even op, snoof en ontspande zich. Mijn hart bonsde. Ik had het gedaan! Langzaam liet ik me voorover zakken en legde mijn armen om zijn hals. Hij ging gewoon door met rondneuzen in het stro. Ik bleef een poosje zo hangen en ging toen voorzichtig achter overliggen. Zou dat ook mogen? Alles mocht! Sunny vertrouwde me. Mijn pony, mijn pony.

Gelukkiger dan dit kan ik niet worden, dacht ik. Na een poosje voelde ik dat zijn huid onder me bewoog. Ik liet me van zijn rug glijden.

Het was tijd om te gaan zadelen.

In de zadelkamer zag ik het kastje van de eigenaresse van Moonlight openstaan. Ze was waarschijnlijk in de paddock om te longeren. Ik pakte mijn poetsspullen en ging terug naar stal. Halverwege de stalgang stond de mevrouw van Moonlight om zich heen te kijken.

'Ik begrijp niet waarom er geen personeel is,' zei ze.

Ik keek op mijn telefoon hoe laat het was. 'Janine geeft les,' legde ik uit, 'over drie kwartier is ze klaar. Dan begint de volgende les. Tineke geeft die, dus dan is Janine er weer.'

'En die aardige jongen, Frank?'

'Die is met vakantie.'

Ze keek me geïrriteerd aan.

'Kun jij me anders niet helpen?'

'Wat is er?'

'Ik heb Moonlight losgelaten in de paddock. Er stond al een paard in, maar die leek me wel rustig. Nou, dat was hij dus niet. En nu jaagt hij Moonlight almaar op.'

Ik schrok. Dat was niet slim wat die vrouw had gedaan: een paard zomaar bij een ander paard zetten. Dat heb ik vroeger op de dorpsmanege al geleerd: als paarden samen hebben gewerkt, kun je ze gerust loslaten, maar als de een in de wei of in de paddock staat en je kwakt er zomaar een ander bij, wordt het ruzie. Dan moeten ze bepalen wie de baas is.

'Nou, komt er nog wat van?' vroeg mevrouw Moonlight.

'Wat wilt u dan dat ik doe?'

'Misschien kun je me helpen Moonlight te vangen.'

Ik hief mijn handen op. Ik wist echt niet of ik dat kon. Bovendien moest ik Sunny poetsen en zadelen. Maar ze ging al op weg naar de paddock. Ik haalde mijn schouders op en liep mee. In de omheinde baan stond een bruin paard dat ik niet kende en achter in een hoek stond Moonlight. Hij was bang. Hij hield zijn hoofd hoog en hij zweette.

'Als jij dat andere paard vasthoudt, kan ik Moonlight pakken,' zei de mevrouw.

'Dan heb ik een halster nodig.'

'Pak dat dan en schiet een beetje op. Ik wil geen verwondingen.'

Ik had veel zin om haar te laten stikken met haar commando's. Verwend kreng! Maar ik vond het ook zielig voor Moonlight. Dat andere paard leek me wel eng, maar misschien viel het mee. Ik haalde mijn halster en ging de paddock in. Het bruine paard keek me aan. Ik wendde mijn hoofd af en slenterde zo'n beetje in zijn richting. Het halster hield ik achter mijn rug verborgen.

'Kun je hem niet gewoon pakken?' vroeg de eigenaresse

van Moonlight. Ik gaf geen antwoord. Na een paar passen bleef ik staan en keek naar Moonlight. Die volgde precies wat er gebeurde. Ik haalde diep adem en probeerde mezelf helemaal rustig te maken. Het bruine paard liep naar de omheining. Dat was precies wat ik wilde. Zijwaarts liep ik naar hem toe en bleef staan. Hij bleef ook staan. Ik legde mijn hand op zijn schouder.

'Pak hem nou!'

Het was geen onvriendelijk paard. Ik legde mijn hand achterlangs op zijn neus en haalde zijn hoofd naar me toe. Toen kon ik het halster omdoen. Mijn hart ging wel tekeer, maar het was gelukt! Een paar maanden geleden had ik het niet gekund. Ik was toen doodsbang voor mijn eigen pony. Van Senna heb ik toen allerlei dingen geleerd waardoor ik niet meer zo gauw zenuwachtig ben. En zo bang als ik voor Sundance was, ben ik voor andere pony's en paarden nooit geweest. Dit paard was een schat. Ik aaide hem over zijn hals.

'Ga je mee?' vroeg ik. Ik liep langs de omheining naar de uitgang van de paddock.

'Kunt u het hek even openmaken?' Dat laatste was tegen miss Moonlight. Ze deed het.

'Zet hem maar op stal,' zei ze.

Ik keek haar verbaasd aan. 'Ja, duh, welke stal?'

'Er zal toch wel een lege box zijn?'

Nu werd ik toch echt boos.

'Ik ga een half rondje over het terrein maken. Intussen kunt u Moonlight eruit halen en in zijn box zetten. Dan zet ik deze terug in de paddock. Ik weet niet van wie hij is en u weet het ook niet. Gaat u maar in de foyer vragen van wie die bruine is en hoe lang de eigenares hem nog in de paddock had willen laten. Dan kan Moonlight daarna los. Of u gaat even rijden.'

'Nou nou, je hebt wel veel praatjes,' mopperde ze, 'ik heb geen tijd om te rijden.'

'En ik heb geen tijd om hier eindeloos te staan,' zei ik drif-tig. 'Ik heb straks les en ik moet nog poetsen en zadelen.'

Terwijl ik door het hek ging hoorde ik haar nog iets mom-pelen wat ik niet verstond. Maar ze haalde Moonlight eruit en liep met hem naar stal. Ik bracht het bruine paard terug en maakte het halster los. Toen ik wegliep keek hij me na.

Alleen thuis

Mijn ouders waren nog niet thuis toen ik mijn fiets in de garage zette. Allebei de auto's waren weg. Ik heb overal de sleutel van, dus het gaf niet. Al zou het wel leuk zijn als er iemand was om hallo tegen te zeggen. Ik pakte mijn telefoon. Maaikes telefoon stond nog uit, maar Lutske nam wel op.

'Hoi, we hebben net gereden!' zei ze.

'Ik ook.'

'Hoe ging Sunny?'

'We hebben tegenwoordig almaar les van Tineke. Hij vindt het niet leuk als zij staat te schreeuwen, geloof ik.'

'Of jij vindt het niet leuk. Dat voelt hij.'

Zo had ik het nog niet gezien.

'In galop ging hij veel te hard. Ik kreeg hem niet rustig.'

'Heb je hem toen op de volte gezet?'

'Ja, maar even later stierde hij er weer vandoor. Tineke zei dat ik hem moest aanpakken. "Dan geef je maar eens een flinke ophouding!" zei ze.'

'Ze bedoelde: dan trek je hem maar eens flink in z'n bek. Dat doe jij toch niet!'

'Nee, natuurlijk niet. Ik ben net zo lang op de volte gebleven tot hij ophield.'

'Dat lukt uiteindelijk altijd,' zei Lutske.

'Op wie hebben jullie gereden?'

'Ik op Jolly en Maaike op Floris.'

Ik zag de pony's meteen voor me. Wat heb ik vaak op Jolly gereden, vroeger!

'Ik wou dat ik erbij was geweest,' zei ik.

'Ja?' vroeg Lutske.

Ik aarzelde.

'Soms wou ik dat ik weer daar woonde,' zei ik, 'maar ik hoor nu ook hier.'

'Ben je al aan je klas gewend?'

'Min of meer,' zei ik.

Lutske en Maaike zitten nu ook op de middelbare school, maar hun hele groep van de basisschool is naar dezelfde scholengemeenschap gegaan, op een paar kinderen na. Ik ben echt alleen. Ik had het er een paar dagen geleden met Chelly over. Zij zegt dat iedereen het best eng vindt, ook al zie je dat niet. En dan heb je ook nog de kinderen uit de tweede en de derde klas die net doen of ze tien jaar ouder zijn dan wij.

'Doen de kinderen uit hogere klassen ook net of jullie kleuters zijn?'

'Daar trek ik me niks van aan,' zei Lutske. Zij is altijd zo nuchter!

We kletsten nog een poosje, toen hing ik op. Ik was helemaal vergeten om haar te vertellen over Moonlight.

Ik tikte het nummer van Maaike aan. Ze had net Floris op stal gezet.

'Ik had Lutske net aan de telefoon en ik was helemaal vergeten te vertellen wat ik heb meegemaakt,' begon ik.

Ik zat nog in mijn paardrijkleren met Maaike te praten, toen ik de voordeur hoorde.

'Shit, daar is mijn moeder,' zei ik.

'Of je vader?'

'Nee, die komt nooit voor zessen. Ik moet ophangen hoor, doei!'

'Doedoei!' riep Maaike.

Terwijl mijn moeder nog bezig was met van alles, trok ik snel mijn rijbroek uit en liep mijn badkamer in. Ik heb een eigen badkamer, dat is wel fijn.

'Sophie! Ben je thuis?'

Ik hoorde de deur van mijn kamer opengaan.

'Ik sta onder de douche.'

'Wat trek je straks aan?' riep ze.

Ik draaide de kraan dicht en droogde me snel af.

Mijn moeder had op me gewacht, ze stond in mijn klerenkast te rommelen.

Ik had mijn handdoek om me heen gewikkeld.

'Wat doe je?' vroeg ik.

'Laurens en Hélène komen straks. We gaan uit eten. Ik zoek iets gezelligs wat je aan kunt trekken,' antwoordde ze ongeduldig.

'Waar gaan we eten?'

Ze noemde de naam van een restaurant.

'Gadver,' zei ik.

'Nou nou, het is anders een heel goed adres,' zei mijn moeder beledigd.

'Niet voor vegetariërs. Ze hebben maar één gerecht en dat is altijd hetzelfde.'

'Dan moet je maar als een normaal mens eten,' zei mijn moeder en ze haalde twee hangers tevoorschijn.

'Doe dit maar aan.'

Ze had een donkergrijze rok en een lichtblauwe blouse gepakt. Toen ze de kamer uit was, kon ik niet kiezen of ik de blouse terug zou hangen of de rok. Het werd de rok. Ik deed de blouse aan met een schone spijkerbroek. Als ik even op mijn kamer bleef, kwam mijn broer met zijn vriendin of mijn vader vast thuis en dan was mijn moeder mij wel weer vergeten.

Ik ging aan mijn bureau zitten. Hoe zou het met Eliza zijn? Ik kon haar op Facebook zoeken, maar ik hou niet zo van Facebook. Ik zocht in mijn telefoon. Daar vond ik het nummer van haar moeder.

Even aarzelde ik. Zou ze het gek vinden? Maar die gedachte duwde ik weg. Ik wilde gewoon weten hoe het was afgelopen met haar enkel.

Ik ben niet verlegen, al praat ik niet zo veel. Ik tikte het nummer aan.

'Hallo, met Annemiek!'

'Dag, ik heet Sophie. Bent u de moeder van Eliza?'

'Ja?'

'Ik wil graag weten hoe het met haar is. Ik zat in die les toen ze van haar pony viel. Ik was toen met haar meegelopen.'

'O, ben jij dat meisje dat haar geholpen heeft! Waar was je toen ik haar kwam ophalen? Ik wilde je nog bedanken.'

'Ik moest naar huis. Ik had beloofd dat ik het niet te laat zou maken.'

Dat klonk wel erg braaf.

'Hoe is het met Eliza?' vroeg ik gauw.

'Wil je haar zelf spreken?'

Ze riep iets en even later klonk de stem van Eliza.

'Hoi!'

'Met Sophie.' Ze wist misschien niet eens hoe ik heet. 'Hoe is het met je enkel? Is hij gebroken?'

'Nee, wel verstuikt. Ik heb steunverband en krukken. Ik mag vier weken niet rijden.'

'Wat erg!' Ik moest er niet aan denken dat ik vier weken niet op Sunny zou kunnen rijden.

'Ja. Maar de eerste twee weken vind ik eigenlijk niet erg, want ik ga echt niet meer naar Tinekes les.'

'Is ze nou erger geworden?' vroeg ik.

'Ik denk het. Ik vond haar nooit leuk, maar de laatste tijd lijkt het wel of ze ruzie zoekt.'

'Ze heeft met iedereen herrie, zelfs met de volwassenen,' zei ik.

Ik vertelde over de eigenaresse van Moonlight. Ik wilde ook nog aan het verhaal over Moonlight in de paddock beginnen, maar toen kwam haar moeder ertussen.

'Wacht even,' zei Eliza, 'wat zeg je nou, mam?'

Haar moeder zei iets.

'Goed. Hé Sophie, heb je zin om morgen langs te komen? Mijn moeder vindt dat we te lang aan de telefoon zitten. Kun je na school? Ik ben morgen om drie uur uit.'

'Ik ook. Waar woon je?'

Ze gaf een adres dat ik op een papiertje krabbelde. Ik had geen idee waar het was, maar dat kon ik wel opzoeken.

'Doei!' zei ze nog en toen hing ze op.

Ik voelde me heel licht, net of ik iets had teruggevonden wat ik kwijt was.

Twee vriendinnen

'Hoe gaat het met je pony?' vroeg Hélène toen we in het restaurant zaten. Ik viel zowat van mijn stoel. Niemand in mijn familie vraagt ooit naar Sundance. Nee, dat is niet helemaal waar. Ik heb nog een broer, Philippe, die iets jonger is dan Laurens. Hij is negentien. Hij vraagt altijd hoe het met mij is en met mijn pony. Maar ik zie Philippe niet zo vaak. Hij studeert in Groningen, net als Laurens, trouwens.

Van Philippe vind ik het jammer dat hij niet vaker naar huis komt. Aan Laurens valt niet veel leuks te ontdekken. Hij is een kakker, altijd al geweest. Hélène past precies bij hem. Eerst vond ik haar een trut, maar soms doet ze ineens iets waardoor ik denk dat ze wel meevalt. Nu dus ook weer.

'Het gaat goed met Sundance,' antwoordde ik beleefd.

Ik ben enorm netjes opgevoed. Dat betekent dat ik net moet doen of ik niet besta. Als volwassenen praten, mag ik niks zeggen en als me iets wordt gevraagd mag ik niet te lang aan het woord zijn, want dat is onbescheiden.

Maar Hélène zei: 'Wat nou goed?'

Ik keek haar aan. Wilde ze echt weten wat er op de manege gebeurde?

'Het gaat steeds beter met Sundance,' legde ik uit, 'in het begin was ik bang voor hem. Toen trapte hij en hij beet.'

'Echt waar?'

Ik knikte.

'We waren nog maar pas verhuisd uit het dorp naar de stad. En ik had hem nog maar net gekregen, voor mijn twaalfde verjaardag. Hij is heel gevoelig. Ineens stond hij in een drukke stadsmanege, niet meer in het dorp. Sunny was de grote stal met veel paarden en pony's niet gewend.

De rijbaan hier is ook veel groter dan die in het dorp. Dat was gewoon een oude schuur. Die op de manege is heel ruim en licht.'

Laurens boog zich langs Hélène naar mij toe. 'Ben je tegen mijn vriendin aan het hinniken?' vroeg hij hoofdschuddend.

Ik voelde mijn wangen rood worden. Laurens is echt een verschrikkelijke eikel. Ik had mijn mond al open om hem te vertellen wat ik van hem vond, maar tot mijn verbazing was Hélène me voor.

'Wij waren in gesprek,' zei ze kil, 'vind je het erg?'

Ik wist niet wat ik hoorde! Ze is precies mijn moeder! Die stem! Die afgemeten toon! Ha! Er staat Laurens nog wat te wachten als hij met Hélène trouwt. Ik voelde een brede grijns opkomen, als een grote schijf meloen die mijn wangen uit elkaar duwde.

Nu liep Laurens rood aan, ik hoopte van gêne, maar hij zal wel kwaad geweest zijn. Hij zou beslist een scène hebben geschopt, want hij heeft geen enkele zelfbeheersing, maar onze moeder kwam tussenbeide.

'Hélène, wil jij rode of witte wijn bij je hoofdgerecht?' Het was een vriendelijke vraag, maar terwijl ze hem uitsprak keek ze mij strak aan.

'Willen jullie me even excuseren?' vroeg ik en ik stond op.

Toen ik terugkwam van de toiletten, hadden ze het over dingen die mij niet aangingen, over Mallorca, waar ze het beste een auto konden huren en of het zou regenen in dit seizoen.

Pas bij het toetje kon Hélène iets tegen mij zeggen zonder dat iemand ertussen kwam.

'Rij je elke dag?' vroeg ze.

'Nee, op dinsdag en donderdag rijdt mijn bijrijdster. En de zondag doen we vaak samen.'

'Dat je dat kunt, je pony delen!'

Ik kneep mijn ogen tot spleetjes.

'Dat is ook niet altijd gemakkelijk,' antwoordde ik, 'maar dit meisje is een speciaal geval. Op haar ben ik niet jaloers. Zij leert mij van alles. En ze is twee jaar ouder dan ik.'

'Wees maar blij dat het goed gaat tussen jullie,' zei Hélène. Haar gezicht stond boos.

'Jij was zelf bijrijdster, hè?' vroeg ik voorzichtig. Ze had me dat een keer verteld.

'Ja, maar toen was ik ouder dan jij. Ik was zeventien en de eigenaresse was ergens in de twintig. Ze was jaloers op mij, denk ik achteraf. Ze behandelde mij alsof ik haar bediende was. Als ze een keer geen zin had om te rijden, belde ze me op en deed ze poeslief. Maar telkens als ik reed, kwam ze zogenaamd toevallig even kijken en dan zei ze de vreselijkste dingen.'

'Wat dan?'

'Dat ik eens een paar privélessen zou moeten nemen. Dat ik helemaal scheef zat en dat ik mijn handen te stijf hield. Maar ik had geen geld voor privélessen.'

'En toen?'

'Zij kende een oude instructeur, die niet zo duur was. Bij hem heb ik toen een paar lessen genomen. Het was voor mij toch duur, want ik had alleen zakgeld. Ik kon dus niet zo vaak les nemen. Zij kwam kijken, elke keer dat de instructeur lesgaf. En zo lang als die man er was, zei ze niks. Maar zodra hij vertrok, zei ze dat ze niet vond dat ik vooruitging. Dat het weggegooid geld was.'

'Hoe is dat afgelopen?'

'Ik heb op een dag gezegd dat ze dood kon vallen.'

'Maar dat paard dan?'

Hélène was even stil. Ik zag aan haar ogen dat ze nog steeds verdriet van het afscheid had. Ik wilde al over iets anders beginnen, toen ze ineens zei: 'Ik vond het vreselijk. Ik heb het nog even geprobeerd met manegepaarden, maar ik miste Lady zo verschrikkelijk dat ik toen dat hele paardrij-den er maar aan gegeven heb.'

Ik keek haar verrast aan. In de zomer had ze me ook ver-teld dat ze was overgestapt op manegepaarden. Maar toen zei ze dat die niet goed genoeg voor haar waren. Ik vond haar toen een enorme trut. Wat ze nu vertelde, begreep ik wel.

Ik raakte haar schouder even aan en zei verder niets.

Toen kwam mijn moeder er natuurlijk weer tussen. Ze wilde nog wat vragen over het huis op Mallorca.

Later, toen we thuis waren, ging ik meteen naar mijn ka-mer. Ik zei dat ik moe was en vroeg naar bed wilde. Hélène knipoogde naar me. Eigenlijk is ze best aardig. Maar wat ze dan met die sukkel van een broer van me moet, begrijp ik niet. Misschien kom ik daar nog wel eens achter.

Brutaal

'Wat ben je aan het doen?' vroeg mijn moeder. 'Je moet naar school.'

Ik had haar niet binnen horen komen, want ik lag op mijn knieën voor mijn klerenkast met mijn hoofd tussen de schoenen. Ergens achterin moesten rijlaarzen liggen die ik niet meer droeg.

'Ik zoek mijn oude rijlaarzen,' zei ik.

'Die zwartleren? Die zijn toch te klein geworden?'

Ik kwam overeind.

'Ja. Ik heb ze even nodig.'

Mijn moeder haalde haar schouders op.

'Hadden we die niet weggegeven?' Ze wachtte niet op mijn antwoord en gaf me een zakje met brood. Ik keek haar verbaasd aan. Ze maakt nooit brood voor me klaar, dat doe ik altijd zelf.

'Wat zit erop?'

'Beleg,' zei mijn moeder.

Ik stond op en stopte het zakje brood in mijn schooltas. En ineens wist ik waar mijn oude rijlaarzen waren: in de garage, bij de spullen die we naar de kringloop wilden brengen.

'Lekker, mam,' zei ik, ineens vrolijk. Ze lachte. Ik begreep plotseling waar dat zakje brood vandaan kwam. Morgenochtend vliegen ze naar Mallorca. Mijn moeder vond het dus toch wel zielig voor me dat ik in mijn eentje achter moet blijven.

In de garage keek ik in de kast met dingen die we niet meer gebruiken en ja hoor, daar waren de laarzen. Ze zagen er best goed uit, maar ik moest ze even poetsen. Ik pakte een lap en het potje laarzenvet uit de werkkast in de hoek. Algauw glommen ze. Ik legde ze in mijn fietstas en racete naar school.

Net op tijd voor het eerste uur plofte ik naast Chelly neer.

'Waar bleef je?' vroeg ze.

Ik maakte een vaag gebaar. Ze drong niet aan.

'Wat doe je zaterdag?' vroeg ze.

'Eerst ga ik naar mijn pony en dan moet ik naar mijn tante,' zei ik, 'hoezo?'

'Mag ik mee?' vroeg ze.

'Ja,' zei ik, 'weet je waar de manege is?'

Maar voor ik precies kon uitleggen hoe ze moest rijden, kwam de leraar Engels binnen en begon de les.

'Good morning, students.'

Het is de bedoeling dat wij dan in koor 'good morning, mister teacher' terugzeggen, maar dat vind ik stom en Chelly mompelt ook altijd maar wat.

De dag duurde lang, vond ik. We sloften van het ene lokaal naar het andere en ik zat maar wat te dromen. Was het maar vast herfstvakantie.

Tijdens de geschiedenisles dacht ik aan de laarzen in mijn fietstas. Zouden ze Eliza passen? Ik hoopte maar dat ze er blij mee was. Sommige mensen vinden het niet fijn als ze iets krijgen wat al gebruikt is. Ze denken misschien dat ik ze iets toeschuif omdat het voor mij toch niet zo veel betekent.

Soms is dat ook wel zo. Mijn moeder en tante Angèle komen zo vaak met kleren aanzetten dat ik er niks meer aan vind. Het zijn ook altijd blouses en rokken, terwijl ik die alleen maar draag als het echt moet.

'Sophie!'

Dat was de lerares geschiedenis. Chelly stootte me aan.

'Wat was het begin van de middeleeuwen?' vroeg de lerares.

'Geen idee,' zei ik. Chelly sloeg haar handen voor haar

gezicht. Ik draaide me verbaasd naar haar toe. Wat kon het haar schelen wanneer de middeleeuwen waren begonnen?

'Waar denk je dat ik het de laatste twintig minuten over heb gehad, jongedame?' vroeg de lerares kwaad.

'Over de middeleeuwen,' raadde ik.

'Inderdaad. En waar zat jij met je gedachten?'

Ik aarzelde even. Moest ik dat nu echt vertellen? Dat leek me niet verstandig. Ik gaf geen antwoord.

Ze werd rood en trommelde met haar vingers op haar bureau.

'Neem me niet kwalijk,' zei ik beleefd.

Ze slikte en haalde diep adem.

'Ga er maar uit,' commandeerde ze, 'en meld je na schooltijd bij mij.'

Ik schrok. Dat kon echt niet, ik had een afspraak met Eliza.

'Ik zei toch sorry,' protesteerde ik. Dat was het verkeerde antwoord.

'Eruit!' gilde ze.

Ik stond op.

'Maar waar moet ik dan naartoe?' vroeg ik dommig. Op de basisschool kreeg ik nooit op mijn kop. Ik was ineens een heel ander soort leerling dan ik altijd was geweest. Iemand die eruit werd gestuurd. Ik keek om me heen en zag bewonderende blikken. Alleen de lerares leek ongeveer te stikken van woede. Ze wees naar de deur en riep nog een keer: 'Eruit!'

Ik pakte mijn tas en liep de gang op. Ik zou naar de hal kunnen gaan, waar we in de pauze altijd zitten als het buiten regent. Het leek me niet zo handig om op het schoolplein te gaan wandelen. Dan zag iedereen me.

In de hal stond de conciërge.

'Ben je eruit gestuurd?' vroeg hij.

Ik knikte.

'Loop maar even mee.' Hij liep naar zijn kantoortje.

'Wat was de reden?'

Daar moest ik even over nadenken. Was het omdat ik geen antwoord had gegeven of omdat ik niet wist wanneer de middeleeuwen waren begonnen?

'De lerares werd kwaad,' zei ik.

'Welke les?'

'Geschiedenis.'

Hij schreef iets op een briefje en tikte iets in de computer.

'Welke klas?'

'1c. Ik moet me na schooltijd bij haar melden.'

'Bij die docent kun je maar beter niet brutaal zijn,' zei hij, 'daar houdt ze niet van.'

Ik knikte.

Hij vouwde het briefje op, stak het in een envelop, plakte hem dicht.

'Dat is voor de docent. Blijf hier maar zitten tot het lesuur voorbij is.'

Hij ging de hal weer in, terwijl hij zachtjes voor zich uit floot. Ik zat er een beetje ongemakkelijk bij. Op de klok zag ik dat het nog twaalf minuten duurde voor de les afgelopen was. Ik haalde mijn telefoon tevoorschijn. We mogen absoluut niet bellen of berichtjes sturen onder schooltijd, maar nu was het een soort pauze, vond ik. Ik tikte snel een berichtje aan Lutske en Maaike. Toen ging de zoemer.

Ik stond op en liep naar het lokaal waar de volgende les begon.

Chelly en Amira stonden me al op te wachten. Ze knepen in mijn arm en zeiden dat ik echt wel brutaal was. Ik lachte naar ze en liet het maar zo. Het was helemaal niet mijn bedoeling geweest ruzie met die juf te maken. O nee, docent. Het maakte me niks uit, als ik maar gauw weg kon, na schooltijd.

Laarzen

Eliza woonde in een nieuwbouwwijk waar alle straten een vogelnaam hadden. Die van haar heette Goudvinkstraat. Het klonk duur, maar het was een gewone buurt met allemaal dezelfde huizen.

Toen ik aanbelde, deed een meisje open dat precies op Eliza leek. Ze was alleen kleiner.

'Jij bent Sophie,' zei ze, 'mijn zus zit op een stoel.'

Ik had de tas met de laarzen uit mijn fietstas gehaald en liep achter het zusje aan naar de woonkamer.

'Ga maar naar binnen,' zei ze, 'ik ben op mijn eigen kamer aan het spelen met m'n vriendin.'

Ze liep meteen weg. Eliza zat bij het raam in een grote stoel met haar voet op een bankje.

'Wat ben je laat!' zei ze.

'Ik moest nablijven,' zei ik, 'ik was brutaal geweest tegen een docent.'

Ze keek me bewonderend aan.

'Kreeg je strafwerk?'

'Ja, ik moest iets schrijven, een soort opstel. Maar dat vond ik wel leuk. Dat heb ik maar niet hardop gezegd,' voegde ik er snel aan toe, 'want dat zal ook wel brutaal zijn. Hoe is het met je enkel?'

Eliza trok een lelijk gezicht. 'Ik mag niet rijden. Dat vind ik erg. Maar ik moet wel naar school.'

'Kun je fietsen?' vroeg ik.

'Ik heb krukken. Het is maar tien minuten lopen. Ben jij nog op de manege geweest?'

Ik vertelde Eliza het hele Moonlight-verhaal. Ze lachte.

'Ik ken die vrouw wel. Ze heet Maura. Ze schiet iedereen

aan die op stal rondloopt, omdat ze denkt dat we allemaal stalmeisjes zijn.'

Ik wilde Eliza ook nog over de ruzie met Tineke vertellen, maar dat had ze allang gehoord.

'Van wie?' vroeg ik nieuwsgierig.

'Van wie denk je?' Ze lachte. 'Van Netty natuurlijk.'

Ik keek haar vragend aan.

'Als Netty en Kees druk glazen staan te poetsen of broodjes te beleggen, hebben ze zulke oren!' Ze wees aan hoe groot die oren wel niet waren. Ik schaterde het uit.

'Zo weet ik ook dat die Maura eigenlijk iemand zoekt die een paar keer in de week voor haar kan rijden. Maar niemand wil, want ze is hartstikke lastig. Dat wordt dus geheid ruzie. Ze heeft volgens Netty drie weken een bijrijdster gehad, maar die is gillend weggelopen.'

Ik wilde nog veel meer roddels horen, maar het zusje kwam de kamer in met haar vriendin achter haar aan, een klein donker meisje met krullen.

'Hoe laat komt mama thuis?' vroeg het zusje.

'Straks,' zei Eliza, 'blijft Anouk eten?'

Het zusje keek naar haar vriendin. Die knikte.

'Blijf jij ook?' vroeg Eliza aan mij.

'Dat kan toch niet zomaar?'

'Jawel hoor,' zei ze, 'hè Ping? Alles kan bij ons.'

Ping, wat een wonderlijke naam, dacht ik. Het leek net of ik het hardop had gezegd, want Eliza zei: 'Ze heet eigenlijk Ingrid. We zeiden vroeger altijd Ingeping. Dat is afgesleten tot Ping. Zo heet ze nu.'

Ik hoorde de voordeur opengaan en met een klap dichtvallen.

'Dat is mama!' zeiden Eliza en Ping tegelijk.

Hun moeder kwam binnen en ik wist niet wat ik zag! Ze had precies hetzelfde gezicht, hetzelfde haar als Eliza en Ping. Ze leken wel een drieling, maar dan van verschillende leeftijden.

'Ik ben Annemiek,' zei de moeder, 'fijn dat ik je nu eens zie. Blijf je eten?'

Ik aarzelde. Het was de laatste avond voordat mijn ouders naar Mallorca gingen. Misschien wilden ze er iets gezelligs van maken.

'Ik moet vragen of het mag,' antwoordde ik.

Annemiek knikte en wees naar de vaste telefoon die naast Eliza op de vensterbank stond.

'Ik heb mijn eigen telefoon,' zei ik onhandig. Klonk dat erg verwaand?

'Ik weet ons nummer niet uit mijn hoofd,' voegde ik eraan toe.

Annemiek lachte. 'Moderne meid!' zei ze.

Ik tikte het nummer van mijn moeder aan. Die was al terug van haar werk, wist ik.

'Met mij. Mag ik bij een vriendinnetje blijven eten of hadden jullie op mij gerekend?' vroeg ik.

'Nee hoor,' zei mijn moeder, 'wij wilden buiten de deur gaan eten, dus het maakt niet uit. Hoe laat ben je weer thuis? Je moet morgen wel naar school, hè!'

Ik draaide me om zodat de drie blonde, precies dezelfde gezichten niet konden zien dat ik tranen in mijn ogen kreeg. Het maakte weer eens niets uit of ik er was of niet. Ik beet hard op mijn lip.

'Hoe laat zijn jullie thuis?' vroeg ik. Het klonk een beetje schor.

'O, om een uur of negen, halftien. Maar dan moet jij al in bed liggen, hoor!'

'Yep!' zei ik. 'Doei!' en klikte het gesprek weg.

'Het mag,' zei ik.

'Fijn,' zei Annemiek.

'Anouk blijft ook,' zei Ping.

Ik dacht ineens aan de laarzen.

'Ik heb wat voor je,' zei ik tegen Eliza. Nu keken ze me met zijn vieren met grote ogen aan, zes blauwe en twee bruine. Ik lachte.

'Wacht!' zei ik en ik pakte de plastic tas waar de laarzen in zaten. Ik had gehoopt dat ze er blij mee zou zijn, maar dat ze zo verrukt zou zijn, had ik niet kunnen denken.

'Ze zijn móói!' riep ze.

Annemiek vroeg meteen wat ik ervoor wilde hebben.

'Niks,' zei ik, 'ze stonden in de garage want ze passen mij niet meer. Ik had ze anders naar de kringloop gebracht.'

'Ze zijn móói!' zei Eliza weer, 'dank je wel. Zal ik in ruil je pony de rest van het jaar voor je poetsen?'

Ik wilde al zeggen dat ik het liever zelf deed, maar ineens begreep ik dat ze bedoelde dat ze mijn vriendin wilde worden.

'We doen het samen,' zei ik.

Altijd alleen

Eigenlijk had ik al om acht uur thuis kunnen zijn. We hadden spaghetti gegeten en ik had geholpen met afruimen.
Toen ik de woonkamer weer binnen kwam had Eliza de televisie aangezet. Ik denk dat het de bedoeling was dat ik bleef
kijken, maar ik wilde liever weg. Dan kon ik langs de manege rijden en nog even bij Sunny langsgaan. Tegen Eliza en
Annemiek zei ik dat ik niet te laat thuis wilde komen.

Het is altijd vreemd om 's avonds op stal te komen. Er zijn
dan geen kinderen, alleen oudere meisjes en volwassenen.
De les van acht uur was al begonnen en de ruiters van de
volgende les waren er nog niet. Bij de pony's op de stand was
niemand. En aan de kant van de pensionpaarden en -pony's
was het ook stil.

Ik ging naar Sunny. Hij keek nieuwsgierig op. Ik deed de
boxdeur open en ging naast hem staan. Hij brieste even en
liet zijn hoofd zakken. Ik leunde tegen hem aan, met mijn
arm over zijn hals. Hij vond het best.

'Ik heb twee broers en een vader en een moeder, Sunny,'
zei ik, 'dat is best veel. Maar het is net of ik altijd in mijn
eentje ben.'

Ik deed of hij antwoord gaf.

'Onzin,' zei hij streng, 'je zegt altijd dat je moeder zich te
veel met je schoolwerk bemoeit. En nu vind je ineens dat ze
zich te weinig van je aantrekt.'

Daar moest ik even over nadenken.

'Ja, maar weet je,' zei ik, 'dat is echt het enige, mijn schoolwerk en wat ik aantrek. Ze vraagt nooit iets over mij. Of over
jou.'

'O, dat is wel erg, ja,' zei Sundance in mijn gedachten, 'ze zouden elke dag moeten vragen hoe het met mij gaat.'

'Ja,' zei ik enthousiast, 'en dat ze eens komen kijken.'

Ik dacht aan mijn vader. Toen we pas in de stad woonden, bracht hij mij met de auto naar de manege. Dan zat hij in de foyer.

'Maar hij keek geen seconde naar ons,' liet ik Sunny zeggen.

'Eigenlijk is hij nog erger dan mama,' zei ik, 'maar op hem ben ik lang niet zo boos. Ik weet ook niet waarom dat zo is.'

Ik liet me in het stro zakken en kruiste mijn benen. Sundance snuffelde even aan mijn haren en hief toen plotseling zijn hoofd. Er kwam iemand aan.

'Wacht, ik duik even een box in, dan kan ik rustig praten,' hoorde ik een meisje zeggen, 'er is niemand op stal.'

Ze wist dus niet dat ik er was.

De boxdeur naast die van Sundance ging open en weer dicht.

'Ik zit in de stal van Amber,' zei het meisje. Ik herkende haar stem niet.

'Ze gaat dus weg,' zei ze, 'meneer Rozendaal is het nu ook zat. Alweer geld dat ineens weg is, al die ruzies die ze maakt.'

Het ging over Tineke! Dat kon bijna niet anders.

'Misschien had ze dat ook gedaan,' zei het meisje. Het was vast Linda, de stalhulp die er 's avonds is. Janine heeft het soms over haar, maar ik was haar zelf nog nooit tegengekomen.

Het was even stil. Linda luisterde naar degene die ze aan de telefoon had.

'Was dat een meisje dat hier rijdt? O, die van Sundance, die pony?'

Het ging over mij! Ik hield me muisstil en keek naar het open stukje met tralies, waar de paarden die naast elkaar staan elkaar kunnen zien en aan elkaar kunnen ruiken. Daar verscheen het gezicht van Linda. Ze had donkerblond haar in een paardenstaart en ze keek naar Sunny. Mij zag ze niet. Mijn hart bonsde. Wat moest ik doen als ze mij ontdekte? Maar ze ging verder met haar gesprek: 'Had ze dat toen tegen Frank gezegd? Maar verder heeft ze met niemand gepraat, denk ik. Want zo'n vette roddel gaat meteen de hele manege rond. Dan had ik het ook allang gehoord.'

Het was weer even stil.

'Ik ken haar niet,' zei Linda, 'maar ze zal inderdaad wel een rustig type zijn, dat ze daar geen werk van heeft gemaakt. Maar wat erg voor dat stalmeisje. Hoe heet ze ook alweer? Die was dus haar baan kwijt.'

Ze bedoelde Senna. Die had inderdaad de schuld gekregen toen er geld weg was. Ik wist al die tijd al dat Tineke dat had gestolen. Maar meneer Rozendaal had niet naar me willen luisteren. Nu had Tineke zeker weer wat weggenomen en dit keer kwam ze er niet mee weg. Net goed!

'Ze is vanmiddag meteen ontslagen. Die eigenaresse van Moonlight heeft ook nog een scène gemaakt. En er was iemand uit de zaterdagochtendles die een brief had geschreven. Dat ze altijd tegen de klanten loopt te schreeuwen en dat ze zo onhebbelijk is. Wat? Weet ik veel wat ze bedoelt met onhebbelijk! Ze is een stuk chagrijn, dat weet jij toch ook? Maar goed, er komt een nieuwe instructeur.'

Er klonken voetstappen in de stalgang. De mensen die om negen uur gingen rijden, kwamen de stal in om te gaan poetsen.

'Ik moet ophangen,' zei Linda gehaast. Ik hoorde de boxdeur open- en dichtgaan. Ik keek op mijn telefoon hoe laat het was. Tien over halfnegen al!

Zodra ik zeker wist dat niemand op mij lette, sloop ik weg.

Ik reed zo hard ik kon naar huis, maar ik had me de moeite kunnen besparen. Mijn ouders waren nog niet terug. Ik lag al in bed toen ze thuiskwamen. Ze kwamen samen kijken of ik al sliep. Heel zacht deden ze de deur van mijn kamer open.

'Hoi, hoe was het?' vroeg ik.

Mijn vader kwam op de rand van mijn bed zitten. Hij rook naar wijn.

'Lekker,' zei hij, 'wat heb jij gegeten?'

'Spaghetti. En jullie?'

'Ik had een biefstuk en mama vis.'

'En heel veel knoflook,' zei ik, 'en wijn.'

'Ga maar gauw slapen,' zei mijn moeder.

'Hoe laat vertrekken jullie?' vroeg ik.

'We vliegen om tien uur. We gaan tegelijk met jou de deur uit, of iets eerder,' zei mijn moeder.

'Goede reis,' zei ik. Het klonk niet echt aardig.

'Nou nou,' zei mijn vader, 'je doet net of we jou aan je lot overlaten. Als je uit school komt, is Angèle hier.'

Ik ging rechtop zitten.

'Ik ga eerst rijden,' zei ik, 'weet ze dat?'

'Ik heb een briefje voor haar neergelegd met alles wat ze moet weten: hoe laat jij vrij bent, het nummer van de school, dat van de manege en de dagen dat jij paardrijdt.'

'Pffff!' Ik liet me terugzakken in het kussen. Niks vrijheid, mijn tante had de hele gebruiksaanwijzing erbij gekregen.

Een leeg huis

Ik werd wakker van boze stemmen. Mijn ouders hadden ruzie. Ik stopte meteen mijn hoofd onder het kussen. Daar was
het ook niet rustig, want ineens herinnerde ik me het gesprek dat ik op de manege had afgeluisterd.

'En dan krijgen we straks tante Angèle nog,' mompelde ik
terwijl ik overeind kwam.

'Pak dan je eigen koffer!' hoorde ik mijn moeder schreeuwen. Ik wist meteen wat er aan de hand was. Die ruzie hebben mijn ouders altijd als ze op reis moeten. Mijn moeder
pakt alles in, haar eigen kleren en ook die van mijn vader.
Zij sleept ongeveer haar hele klerenkast mee en mijn vader
moet dat allemaal sjouwen, dus die vraagt dan hoeveel paar
schoenen ze denkt nodig te hebben. En dan ontploft zij.

Ik besloot me er niet mee te bemoeien en toen ik onder de
douche vandaan kwam, was het stil. Voor ik de woonkamer
binnenstapte luisterde ik nog even, maar ze spraken weer
op een normale toon.

'Goedemorgen Sophie!' riep mijn vader opgewekt. Dacht
hij dat ik doof was?

'Hadden jullie ruzie?' vroeg ik vals.

'Nee hoor,' zei mijn moeder gauw, 'ik heb voor jou ook een
koffer gepakt, voor als je in het weekend bij Angèle bent.'

Ik zei niks terug. Ik had hem zien staan in mijn badkamer.
De helft van de bagage kon eruit, dat wist ik nu al.

'Ik heb ook brood voor je klaargemaakt,' zei mijn moeder.

'Dank je wel, mam.'

'Hoe laat kom je thuis?'

Ik rekende snel uit: ik was om halfdrie vrij, als ik gauw
naar huis fietste, kon ik om halfvier in de buitenmanege rij-

den, als het tenminste niet heel erg regende. Anders moest ik wachten op de les van halfvijf. Daar mogen pensionklanten in meerijden.

'Als het droog is, ben ik om vijf uur thuis, anders om een uur of zes.'

'Ik zal op het briefje schrijven dat je om zes uur zeker thuis bent en misschien iets eerder,' bood mijn moeder aan.

Ik knikte dankbaar. Toch een beetje vrijheid.

'Gaan jullie nu naar het vliegveld?'

Op dat moment werd er aangebeld. De taxi was er al.

Even was het net of er brand was uitgebroken en twintig mensen zich met grote koffers naar buiten moesten zien te haasten. Terwijl ze toch echt maar met z'n tweeën waren. Ze gaven mij een haastige knuffel, stapten in de taxi en verdwenen uit het zicht.

Ik was alleen.

Het huis was raar leeg. Maar de eettafel stond vol. Ik liep eromheen. Mijn vader had zijn koffie niet opgedronken. Naast het bord van mijn moeder stond mijn zakje brood. Ik nam het mee naar mijn kamer. Het was nog lang geen tijd om naar school te gaan. Ik keek of Lutske of Maaike toevallig online waren en ik had geluk! Maaike had de chat aan staan.

Mijn ouders zijn met vakantie, tikte ik.

Maaike: Waaaaat????
Sophie: Ze gaan een huis bekijken op Mallorca.
Maaike: En jij dan?
Sophie: Tante Angèle.
Maaike: Shit.
Sophie: Zeg dat wel.
Maaike: Moet naar school.
Sophie: Ik ook, doei!

Ik wist dat Maaike precies begreep hoe ik me voelde.

Ik liet de ontbijtboel op tafel staan en ging naar school.

Chelly was er al, die is altijd vroeg.

'Morgen ga ik mee naar de manege, hè?' vroeg ze.

'Ja, natuurlijk,' zei ik, 'dat hadden we toch afgesproken?'

'Wat moet ik aan?'

'Doe maar een strakke spijkerbroek, een die meerekt,' zei ik, 'en kaplaarzen die vies mogen worden.'

'Waarom moet mijn broek meerekken?'

'Omdat je ook even op Sundance mag,' zei ik, 'en van een broek die slobbert krijg je schaafwonden.'

Chelly kneep in mijn arm.

'Ik vind het vast veel te eng om op zo'n hoog beest te klimmen.'

'Ach welnee,' zei ik lachend, 'Sunny is niet zo groot, het is een pony, geen paard.'

'Wat is eigenlijk het verschil?'

Dat had ik ook wel eens aan Senna gevraagd.

'Een pony is meestal kleiner en hij heeft in verhouding een groter hoofd dan een paard. Maar soms zie je het niet precies.'

Ik wilde nog een heel verhaal beginnen over D-pony's en E-pony's die soms groter zijn dan een paard en falabella's die paarden zijn maar juist weer piepklein, maar de zoemer ging. We hadden geschiedenis, bij mijn favoriete docent.

Ik had gedacht dat ze voortaan een hekel aan mij zou hebben, maar het rare is, dat het wel andersom leek. Ze glimlachte zelfs naar me.

Ik deed erg mijn best om eruit te zien als iemand die oplet, maar mijn gedachten dwaalden telkens af.

Zouden we echt een nieuwe instructeur krijgen? Ik vond het heerlijk dat Tineke wegging. Ze ging trouwens niet weg, ze was al weg!

Dat betekende dat de nieuwe instructeur vanmiddag al lesgaf! Want Frank kwam pas over een dag of tien terug en Janine werkt aan het eind van de middag altijd op stal, want dan krijgen de paarden hooi.

'Sophie!'

Ik schoot overeind.

'Je let niet op.'

'Nee, mevrouw, ik was er even niet bij. Neem me niet kwalijk,' ratelde ik. Juist vandaag mocht ik er niet uit gestuurd worden, want ik wilde echt meteen na school naar de manege.

'We hebben het over het jaar dat er pest uitbrak. Weet jij wanneer dat was?'

Ik lachte haar stralend toe. Dat wist ik precies! Toen ik na moest blijven had ik iets over de pest moeten opzoeken in een geschiedenisboek van haar. Ik had er een bladzijde strafwerk over geschreven. Niet overgepend, maar in mijn eigen woorden opgeschreven.

'Het was in 1348!' zei ik trots.

'Prima.'

Het gekke was dat ik ineens wel kon opletten. Net of 1348 voor mij een belangrijk jaar was geworden.

Bezoek voor Sundance

Ik was van plan gauw naar huis te fietsen, rijkleding aan te trekken en huppekee, naar de manege te racen. Ik was razend benieuwd of de nieuwe instructeur er al was en ik hoopte ook dat iedereen in de foyer over Tineke zou roddelen.

Maar toen ik de voordeur openmaakte, voelde ik meteen dat ik niet alleen was. Tante Angèle was er al. Ik zag haar jas aan de kapstok hangen en in de gang stond een grote tas. Ik ging de woonkamer in en daar zat ze. Op de salontafel stond de grote theepot die mijn moeder nooit gebruikt met daarop een gebloemde theemuts die ik al helemaal nooit eerder had gezien. Er was ook van alles te eten en mijn tante had de ouderwetse stoel waar ik altijd op zit aangeschoven. Die moet altijd in een hoek van de kamer staan, waar je hem niet ziet. Mijn moeder vindt dat hij niet bij de nieuwe meubels past.

'Hoi,' zei ik.

Mijn tante stond op om me te omhelzen.

'Ik heb lekkere thee voor ons gezet,' zei ze stralend, 'met sandwiches en cake. Een echte high tea. Je zult wel honger hebben, zo net uit school.'

Ik keek naar de schaal boterhammetjes. Ze waren piepklein en zonder korst. En daarnaast stond een schaal cupcakes. Het moest een enorm werk zijn geweest. Ik voelde me enorm schuldig.

'Wat lief!' stamelde ik. 'Maar ik moet straks naar mijn pony.'

'Hoe laat?'

'Ik rij om halfvijf,' zei ik. Daar gingen mijn leuke plannen.

'We drinken eerst thee,' besliste mijn tante.

Een beetje ongemakkelijk ging ik in mijn stoel zitten.

'Gebruik je suiker?' vroeg ze. Ik schudde mijn hoofd.

Het was net als vroeger, met Lutske en Maaike, toen we een jaar of zeven waren. Ik had een kinderserviesje en daar speelden we theevisite mee, met stukjes koek en water in plaats van thee, want dat vond mijn moeder te veel gedoe.

'Hoe was het op school?' vroeg tante Angèle.

Dat was een moeilijke vraag. Ik had het grootste deel van de dag zitten dromen. Daar kon ik moeilijk mee aankomen. Ineens dacht ik aan de pest in de middeleeuwen. Dat verhaal was nu al voor de derde keer nuttig! Enthousiast vertelde ik over de etterende wonden en de sterfgevallen, de builen en de ratten.

Mijn tante bracht het gesprek gauw op iets anders: of ik geschiedenis wilde studeren.

'Dat weet je maar nooit,' zei ik.

Ik wil fotograaf worden. Dat had ze allang kunnen weten, want het is me al duizend keer gevraagd. Het is wat alle volwassenen aan kinderen vragen: wat wil je worden als je groot bent? En telkens geef ik hetzelfde antwoord. Maar misschien was ze het vergeten.

Terwijl mijn tante nog een kopje thee inschonk, keek ik gauw hoe laat het was.

'Ik moet zo wel weg,' zei ik.

'Hè, wat jammer!'

'Ga anders mee!'

Tot mijn stomme verbazing zei ze: 'O, leuk! Zullen we dan met de auto gaan?'

'Dat is goed,' antwoordde ik, 'maar je moet wel even wat anders aantrekken. Het is daar best stoffig.'

Ik vertelde er maar niet bij dat er mest in de stalgang kon liggen en dat er modder op het terrein lag.

'Ik heb wel een broek,' antwoordde ze aarzelend.

'Geen kaplaarzen?'

'Nee.'

Ze lachte. 'Kaplaarzen, hoe kom je erop! We zijn hier in de stad.'

'Wacht, ik haal wel wat. Jij hebt toch dezelfde maat als mama?'

'Iets kleiner.'

Dan kon ze iets van mij aan. Ik haalde een paar korte kaplaarsjes uit mijn kamer. Ze vond ze nog leuk ook.

Even later waren we bij Sundance. Angèle keek haar ogen uit.

'Zijn al die paarden en pony's van de klanten?'

'Nee. Alle paarden en pony's die op de rij staan, zijn van de manege. De boxen zijn van de pensionklanten.'

'Waarom hebben de manegepaarden geen box?'

'Een box neemt veel meer ruimte in. Trouwens, de paarden en pony's vinden het leuker om naast elkaar te staan. Die boxen lijken mooier, maar het is alleen beter omdat jouw dure pony dan geen trap van een ander kan krijgen.'

'Trappen ze elkaar?'

'Bijna nooit echt, ze dreigen een beetje. Dat betekent niks.'

We stonden bij de box van Sundance. Ik hoopte maar dat hij zich zou gedragen en niet naar mijn tante zou trappen. Want ik mocht dan net doen of een beetje trappen niks betekent, als Sundance het deed, dacht ik daar heel anders over.

Ik had het halster en de poetsdoos al opgehaald en haalde Sunny uit de box.

'Hij is niet eens zo heel groot,' zei mijn tante.

'Valt wel mee, hè?'

Ik zette hem aan de ring buiten de box vast en haalde een stukje wortel uit mijn bodywarmer.

'Geef hem dat maar.'

Ze legde de wortel op haar vlakke hand en bracht die heel voorzichtig bij Sunny's mond. Het leek wel of hij begreep dat hij niet lomp mocht doen. Heel zacht pakte hij het aan en knabbelde het op.

'Wat lief!' riep mijn tante. Ik gaf haar nog een stukje en haalde snel een rosborstel over Sunny's vacht. Janine kwam met een kruiwagen hooi de stal binnen.

'Janine, geeft Tineke straks les?' vroeg ik schijnheilig. Ze bleef staan.

'Heb je het nog niet gehoord? Tineke is weg.'

'O?' deed ik verbaasd. Ze lachte, volgens mij had ze me door.

'Ze paste niet meer zo goed in het team,' zei ze.

'Maar wie geeft de les van halfvijf dan? Jij?'

'We hebben een nieuwe instructeur, meneer Vincent. Hij staat al les te geven.'

Ik aarzelde. Ik wilde Sunny niet zomaar laten staan, maar ik was zo benieuwd hoe meneer Vincent eruitzag! Ik moest echt even naar de foyer om door de ruit te kijken.

'Wil je wat drinken?' bood ik mijn tante aan.

'Ja, lekker!' zei ze. 'Kan dat hier?'

Ik ging haar voor naar de foyer.

'Je kunt aan de bar zitten of aan een tafeltje,' zei ik.

'O! Wat leuk, als ik daar ga zitten kan ik jou straks zien rijden.'

Ze wees naar een tafeltje naast de ruit.

'Ga maar zitten, ik haal iets te drinken. Wat wil je?'

'Sherry, droge sherry.'

Ik gaf de bestelling door en tuurde tegelijkertijd de rijbaan in.

Aan de rand, bij de tribune, stond een man met donker haar. Hij zag er wel vriendelijk uit. De pony's waren op de grote volte aan het draven.

'Hier is de sherry!' zei Netty. Ze volgde mijn blik.

'Hij is wel heel wat anders, hoor!' zei ze.

'O ja?' vroeg ik gretig.

'Je zult hem héél aardig vinden,' voorspelde Netty, 'hij is een echte paardenman.'

Ik keek haar vragend aan. 'Houdt hij niet van pony's?'

Netty schoot in de lach. 'Nee, rare meid, dat bedoel ik niet. Hij houdt van paarden en van pony's. Hij is er veel liever voor dan Tineke.'

Op dat moment werd ze weggeroepen door Kees, die haar nodig had in de keuken. Ik gaf de sherry aan mijn tante en keek hoe laat het was.

'Ik moet opschieten,' zei ik, 'je ziet me straks door die deur binnenkomen met Sundance.'

Ik wees naar de toegangsdeur.

'Hartstikke leuk!' zei mijn tante enthousiast.

'Ja!' zei ik en ik meende het helemaal. Mijn ouders mochten wel twee weken wegblijven. Ik had nooit gedacht dat mijn tante Angèle zo gezellig kon zijn.

Meneer Vincent

'Mijn naam is Vincent,' zei de instructeur, toen we allemaal op de hoefslag rondstapten. 'Als je zestien bent mag je me bij mijn voornaam noemen. Ben je jonger, dan is het meneer Vincent. Zeggen jullie maar een voor een je naam en de naam van je pony.'

We waren met z'n tienen, acht manegepony's en twee eigen pony's: Sundance en Idéfix. Die pony had ik wel eens eerder gezien. Hij is van twee meisjes van wie ik de namen niet wist. Sommige pony's kende meneer Vincent al. Aurora, die zo vaak bokt, en Monami herkende hij en Justin, een oude witte pony die eigenlijk Just In Time heet.

De les begon rustig. We deden veel in stap, toen wat figuren in draf. Sundance was ook lekker ontspannen, lang niet zo chagrijnig als wanneer Tineke stond te schreeuwen.

Ik dacht al dat meneer Vincent ons helemaal niet zou laten galopperen, toen hij de groep een volte op het midden liet maken, een cirkel die bij de letter E begon. Ik zat achter Aurora. Dat vind ik altijd vervelend, omdat ze ineens kan uitslaan. Ik probeerde Sunny een beetje op afstand te houden, maar dat lukte niet goed. Achter hem reed Idéfix, die te dichtbij kwam naar zijn zin.

Net toen meneer Vincent tegen Manon zei dat ze Idéfix een wat grotere volte moest laten maken om Sundance meer ruimte te geven, ging het mis. Sunny bokte, Idéfix hapte naar hem en toen ging Aurora aan het bokken. Sunny schoot uit de rij pony's. Ik viel er bijna af, maar kon nog net mijn evenwicht bewaren.

'In stap!' commandeerde meneer Vincent. Toen iedereen weer stevig in het zadel zat, mochten we opnieuw draven.

'Jij op die bruine pony, Sundance is het niet, en wat was je naam?'

'Sophie.'

'Ga maar achter Cupido, dan Justin, dan Aurora. Jolanda, durf je nog een galopje?'

Het meisje op Aurora knikte.

Nu ging alles goed, Aurora zette geen stap verkeerd. We veranderden van hand en galoppeerden weer aan.

Meneer Vincent liet ons ook nog wijken voor het been, een zijgang waar ik nooit veel van terechtbreng. Ik heb het wel eens met Senna samen geoefend en toen lukte het een paar keer. Je moet goed rechtop zitten, je handen iets opzij doen naar de kant waar je heen wilt wijken. Zo ga je opzij. Vooral je binnenhand moet niet trekken, want dan mislukt het zeker. Maar dat is nu juist de moeilijkheid. Je gaat bijna vanzelf trekken.

'Nóóit trekken,' zei meneer Vincent, 'wijken doe je met je binnenbeen en met je binnenteugel. Die moet tegen de hals aan liggen.'

Ik probeerde het zo goed mogelijk te doen, maar eigenlijk zag het er niet uit. We mochten het maar twee keer in stap oefenen. Daarna deden we het nog tweemaal in draf.

'Dat is genoeg,' zei meneer Vincent, 'anders wordt het pony-pesten.'

'Nou, daar zijn we dan het laatste jaar flink mee bezig geweest,' zei het meisje op Cupido. 'Bij Tineke waren we soms wel tien keer achter elkaar aan het wijken.'

Meneer Vincent hief zijn hand op.

'Niet lelijk praten over mijn collega. Iedereen heeft zijn eigen manier om het jullie bij te brengen. En ik doe het nu eenmaal zo. Van hand veranderen van F naar H. We gaan het op de andere hand proberen. Zo komen we ook wel aan de tien keer.'

We gingen van de rechterhand naar de linker. Sunny loopt veel liever linksom dan rechtsom.

'Zie je, Sophie, nu gaat het veel beter,' zei meneer Vincent. 'Dat geldt trouwens voor de meeste pony's en paarden. Ze hebben een voorkeur voor de linker- of de rechterhand en meestal is dat de linker.'

We staken nog een paar keer schuin over terwijl we de pony's probeerden te laten wijken voor het been. We reden nog figuren in galop en in draf en toen mochten de pony's droogstappen aan een lange teugel.

Ineens herinnerde ik me dat mijn tante al die tijd had zitten kijken. Ik tuurde door de ruit en ja hoor, daar zat ze. Ze maakte allerlei gebaren waaruit ik kon opmaken dat ze het maar wat spannend had gevonden dat de pony's hadden gebokt, maar ze stak ook allebei haar duimen op.

Ik gloeide vanbinnen. Wat is het leuk als iemand naar je kijkt! Ik zwaaide naar haar. Meneer Vincent zag het.

'Is dat je moeder?' vroeg hij.

'Mijn tante.'

'Nou, ze kan trots op je zijn,' zei hij. Ik lachte naar hem.

Alles wordt anders

Wat was er ook alweer voor leuks? dacht ik de volgende ochtend, toen ik wakker werd. Toen viel het me in: mijn tante
was er. Na de les was ze niet meer naar de stal gekomen,
want ze was in de foyer in gesprek geraakt met de vader van
Manon.

'Een leuke man, hoor!' zei ze.

'Is die niet getrouwd?' vroeg ik. 'Met de moeder van Manon bijvoorbeeld?'

Maar mijn tante had van Netty gehoord dat Manons ouders gescheiden waren. Ze waren nog wel bevriend, maar ze
woonden niet meer bij elkaar. Manon woonde de ene week
bij de een en de andere week bij de ander.

'Vertelde die vader dat?'

'Nee, die was naar stal om zijn dochter te helpen met haar
pony,' zei mijn tante. 'Netty zei het.'

Ik schoot in de lach. Netty had natuurlijk allang in de gaten dat mijn tante verkering wil. Ze zou zo graag kinderen
willen en een leuke man en ze is al vijfendertig of zoiets.
Maar die vader van Manon is niks voor haar, want die heeft
dus al een dochter van twaalf.

Mijn tante had het hartstikke naar haar zin gehad in de
manege en ik vond het enig dat ze was komen kijken. Ze zei
dat ik reed als een cowboy in een film: alsof het helemaal
geen moeite kostte. Dat was een groot compliment.

Thuis hadden we erg lekker Indiaas eten besteld en een
dvd gekeken.

Ik keek hoe laat het was, nog geen acht uur. Misschien
sliep mijn tante nog.

Maar niks hoor, de ontbijttafel stond gedekt en ze zat met
een kop thee de krant te lezen.

'Wil je ook thee?' bood ze aan.

'Ja, graag,' zei ik.

'Je gaat naar de manege, hè? Ik heb brood voor je klaarge-maakt, voor tussen de middag. Wil je dat ik je even breng?'

'Nee nee, ik ga op de fiets, want ik weet niet hoe lang ik blijf. Daarna kom ik wel naar jou toe. Maar wil je wel mijn koffer meenemen? En wat lief dat je brood hebt klaarge-maakt,' voegde ik eraan toe.

Ze keek blij. Ik ook.

De volwassenen van de ochtendles zaten nog in de foyer koffie te drinken toen ik binnenkwam. Natuurlijk waren ze druk aan het bespreken hoe het gegaan was met Tineke. Ik ging bij de ruit staan en keek de rijbaan in. Er was een po-nyles voor gevorderden aan de gang. Meneer Vincent stond aan de rand bij de tribune. Dat is zijn favoriete plek, denk ik. Niet in het midden, waar Frank altijd staat.

'Ik heb een brief naar Rob Rozendaal geschreven,' hoorde ik een mevrouw zeggen, 'met een klacht. Dat is beslist van invloed geweest.'

'Dat ze nu toch zo dom is geweest te stelen van de klan-ten,' zei een andere mevrouw.

'Het was niet de eerste keer.'

'En een ander er voor op te laten draaien.'

'Dat stalmeisje schijnt terug te mogen komen.'

Ik draaide me met een ruk om. Senna mocht terugko-men! Waarom wist ik dat niet? Senna is een rare meid. Ik deel mijn pony met haar en ze vertelt me het belangrijkste nieuws niet. Ik pakte mijn telefoon om haar een berichtje te sturen. Toen zag ik pas dat zij mij ge-sms't had: HEB WEER WERK OP STAL.

Ik luisterde nog even naar de volwassenen, maar alles wat ze zeiden wist ik al. Het waren allemaal verhalen over Tineke, die zo onbeleefd was en zo ruw met de paarden omging.

Bij Sunny's box stond Senna. Ze had hem aan de ring vast-gezet. De poetsdoos stond naast hem. Ik besloot net te doen of ik nog niet wist dat ze weer stalwerk mocht doen.

'Hoi!' groette ik.

Ze keek op en ik zag aan haar ogen dat ze vrolijk was.

'Hoe was de les van de nieuwe?' vroeg ze.

'Hartstikke leuk!'

Het was even stil. Senna legde haar hand op Sunny's ma-nenkam en ging rechtop staan. Ze haalde adem.

'Had je mijn berichtje gelezen?'

'Ja, maar ik begreep het niet.' Ik wilde dat ze het zelf zou zeggen.

'Eh,' begon ze, 'ik werk niet meer iedere week in de super-markt. Ik val alleen maar in.'

Ik zei niets.

'Ik kom weer op stal.'

'Ik hoorde het net in de foyer,' bekende ik lachend, 'fijn! Wanneer heb je het gehoord?'

'Meneer Rozendaal belde me. Hij zei ook sorry.'

'Echt waar?'

Ik wilde weten wat hij precies had gezegd, waar hij nou spijt van had. Maar Senna roddelt niet. Ze ging verder met poetsen.

'Laat hem maar een heel klein beetje vies,' zei ik, 'een hoef of zo. Want straks komt er een vriendinnetje dat nog nooit een pony van dichtbij heeft gezien.'

'Dan durft ze echt geen hoeven uit te krabben. Ze mag zijn manen borstelen,' zei Senna, 'dan staat ze op een veilige plek, bij zijn schouder.'

Ze had gelijk.

Chelly durfde niet eens de stal in te komen. Ze stuurde een appje dat ze bij de ingang van de manege stond. Ik haalde haar op.

'Kunnen we zomaar achter die paarden langs?' vroeg ze

toen ik haar langs de stand van de pony's wilde meenemen. 'Schoppen ze niet?'

'Dit zijn pony's,' antwoordde ik, 'geen paarden, en ze schoppen alleen als je iets doet wat ze heel erg vinden.'

'Ik vind het eng.'

'Kom nou maar,' zei ik ongeduldig. Ik pakte haar arm en sleurde haar zachtjes mee, langs de manegepony's, die niet eens opkeken, naar de stal van Sundance.

'Dit is Sunny,' stelde ik haar voor, 'en dit is Senna. Zij helpt Sunny en mij met alles. Senna, dit is Chelly.'

Senna knikte naar Chelly.

Chelly bleef op een afstandje staan, met haar rug tegen de box van Amber. Senna ging naar haar toe. Ze stak meer dan een hoofd boven Chelly uit.

'Wat zijn die beesten groot van dichtbij, hè?' zei ze vriendelijk.

Chelly knikte.

'Wacht maar lekker tot je een beetje gewend bent.' Senna legde even een hand op Chelly's haren. Ik wist niet dat ze zo vriendelijk kon zijn. Eigenlijk was ik een beetje jaloers. Toen ik doodsbang voor Sundance was, niet eens zo lang geleden, was ze alleen maar stug. En ze keek op me neer. Ik nam me voor later eens te vragen waarom ze nooit lief tegen mij had gedaan.

'Sophie, als jij Sunny nu verder poetst en zadelt, leg ik je vriendin uit wat je aan het doen bent.'

Ik deed wat ze zei en pakte de zachte borstel.

'Hij is nu bijna schoon,' legde Senna uit, 'maar dit doen we elke dag: het zout van het zweet losmaken met de rosborstel en het dan uit zijn vacht vegen met de zachte borstel. Zijn hoeven hebben we al schoongemaakt. Nu gaat Sophie het sjabrak op zijn rug leggen, dat is dat dikke dekentje, en dan het zadel. Zie je?'

Ze legde alles uit en toen Sunny helemaal klaar was, durfde Chelly hem heel voorzichtig te aaien. Ik keek op hoe laat het was. We hadden nog best veel tijd. Ik wilde nog even naar de foyer. Ik kon hun wat te drinken aanbieden. Maar misschien was het leuker voor Chelly om bij Sunny te blijven. Ik had nog wel een stuk wortel.

'Durf je die te geven?' vroeg ik. Chelly schudde haar hoofd. 'Dan bijt hij misschien.'

Senna schoot in de lach. 'Geef jij een ijscoman een schop als je een ijsje van hem aanpakt?'

Chelly lachte. 'Wat een bange muts ben ik!'

'Kom, probeer het maar.'

Net als de dag ervoor, met mijn tante, pakte Sunny de wortel heel voorzichtig met zijn lippen van haar hand. Ze straalde.

'Wat zacht!'

'Blijven jullie even hier?' vroeg ik. 'Ik moet nog naar de foyer.'

Senna trok haar wenkbrauwen op, maar ze vroeg niet verder. Chelly ging dichter bij Sunny staan. Ze was al bijna niet meer bang.

Ik liep zo snel ik kon de stal uit. Ik wilde zien hoe het in de volwassenenles ging.

Als je niet beter wist, zou je niets bijzonders aan de groep ruiters zien. Maar het viel mij op dat iedereen vrolijk keek. Zelfs Maura zat ontspannen op haar paard. Moonlight leek er ook meer lol in te hebben. Hij liep lang niet zo stijf als anders. Meneer Vincent stond op zijn plaats bij de tribune en gaf het commando om halt te houden. Hij hief zijn hand op en ik zag aan zijn mond dat hij halt zei. Als paarden stilstaan, kun je nog beter zien of ze rustig zijn. Eén paard dribbelde een beetje, maar toen meneer Vincent bij hem ging staan, werd hij kalm. En toen zag ik iets wat ik een instructeur nog nooit eerder had zien doen. Meneer Vincent boog zich over de neus van het paard en gaf hem een zoen. De mevrouw die op het paard zat, keek net zo verbaasd als ik. Maar verder had niemand het gezien, denk ik.

Ik betrapte me erop dat ik zachtjes zong, terwijl ik terugliep naar de stal. Dat doe ik anders nooit. Ik luisterde naar mezelf: *alles wordt anders*, zong ik.

Bij Sundance stond me nog een verrassing te wachten: Eliza was er. Ze leunde op krukken en probeerde Sundance te aaien. Hij hield zijn hoofd hoog.

'Senna zei dat hij die krukken eng vindt,' legde Chelly uit. Zij bleef een beetje uit de buurt van mijn pony. Ze was niet meer heel bang, maar er zat voorlopig geen ponymeisje in haar. Dat was duidelijk.

'Wat leuk dat je er bent!' zei ik tegen Eliza. 'Mag je lopen?'

'Ik moet zelfs een beetje lopen, maar niet te veel achter elkaar. En met krukken.'

Senna was klaar met Sunny, maar ze was niet zo ongeduldig als anders. Ze keek ook niet nors, integendeel.

Ik sta hier met mijn pony en drie vriendinnen, schoot het door me heen, straks ga ik naar huis en dan is er thee en iemand die vraagt hoe het was op de manege. Deze dag moet ik onthouden.

Vakantieplannen

Op zondag belden mijn ouders. Eerst kreeg ik mijn vader aan de lijn. Hij vroeg wat ik aan het doen was. Ik was huiswerk aan het maken, Frans en geschiedenis. Het ging best goed. Ik had zelfs een beetje vooruitgewerkt.

'Ik maak huiswerk,' zei ik, 'en jullie?'

'Wij genieten van het zonnetje,' zei hij, 'het is hier heerlijk. Hoe is het bij jullie?'

'Het regent.' Ik zocht naar iets wat ik aan hem kon vertellen.

Toen ik 's ochtends naar de manege fietste, was het nog droog. Nou ja, dat was niet zo interessant voor hem.

'Zijn jullie met het huis bezig?' vroeg ik.

Mijn vader zei dat het vanaf het balkon boven uitzicht op zee heeft.

'Mooi!'

Ik vroeg me af of ik iets over de manege kon zeggen. Senna was vanochtend naar Sunny en mij toe gekomen. Alle weekenden werkt ze nu op de manege. Maar hoe dat allemaal zo was gekomen, was te ingewikkeld om door de telefoon uit te leggen.

'Maak maar veel foto's,' zei ik.

'Dat zal ik doen!' antwoordde mijn vader en toen kreeg ik mijn moeder aan de lijn. Ze was dolenthousiast over het vakantiehuis.

'Het is voor jou ook ideaal,' zei ze, 'want ik zag ook meisjes te paard langskomen. Er is vast een manege in de buurt.'

'Mijn pony staat hier,' zei ik.

'Je kunt toch wel eens op een andere?' zei mijn moeder.

'Gaan jullie het huis nou echt kopen?' vroeg ik.

'Dat denk ik wel. We laten het schilderen en hier en daar een beetje opknappen. In de herfstvakantie kunnen we erheen om het in te richten.'

'Goed idee,' zei ik, 'dan ga ik in de herfstvakantie bij Angèle logeren.'

Mijn tante zat aan haar bureau en bij het horen van haar naam keek ze om. Het was wel erg brutaal om mezelf uit te nodigen. Maar Angèle glimlachte.

Ze stak haar duim op. Ik werd helemaal warm vanbinnen.

'Wrr vst krr oo.' Mijn moeder zei iets wat ik niet verstond. 'Wat zei je?'

'Ik zei dat je het vast wel leuk vindt om met ons mee te gaan. Laurens en Hélène komen ook.'

'Nee, maar dat is leuk!' deed ik zuur.

'Geef me Angèle ook nog maar even,' zei mijn moeder.

Terwijl mijn tante met mijn moeder praatte, dacht ik na over het huis op Mallorca. Ik was wel nieuwsgierig hoe het eruitzag. Maar ik moest er niet aan denken dat mijn moeder aan het inrichten sloeg. Dat hadden we met de verhuizing naar de stad al meegemaakt. Ze ging van de ene meubelzaak naar de andere. En als ik iets uitkoos, vond ze het niet mooi.

Misschien wilde ik er in de kerstvakantie wel een week heen. Dan kon ik Philippe, mijn leuke broer, vragen of hij ook kwam. Dat leek me wel een goed plan. Of misschien toch niet. Want dan was er geen tijd meer om naar Lutske en Maaike te gaan. Dat wilde ik ook nog. En ik kan Sunny geen twee weken in de steek laten.

Plotseling viel me een briljant plan in!

Mijn tante was net klaar met haar gesprek en gaf mij mijn telefoon terug.

'Angèle,' begon ik, 'denk jij dat je het leuk vindt als ik samen met mijn dorpsvriendinnen een keer bij jou kom logeren?'

'Die twee meisjes, hoe heten ze ook alweer?'

'Lutske en Maaike. In de kerstvakantie.'

'Ja, natuurlijk mag dat. Maar dat is nog best ver weg.'

'Dat weet ik wel, maar als ik er nu niet over nadenk, heeft mama weer van alles bedacht.'

Mijn tante knikte. Zij kent haar oudere zus al heel wat langer dan ik.

'Maar zou ze het niet leuker vinden als ze bij jullie logeren?'

'Dat vindt ze helemaal niet leuk. Drie meiden in huis betekent een hoop rommel. Dat vindt mama vreselijk. En jou kan het niet zo veel schelen. Toch?'

'Ik vind het enig!'

'Nou dan!'

Toen ik nog in het dorp woonde, keek mijn moeder ons ongeveer het huis uit als ik mijn vriendinnen meenam. Vooral Maaike vond ze erg, want die is best slordig. In het nieuwe huis is nog nooit iemand geweest, behalve de familie en de vrienden van mijn ouders. Lutske en Maaike zijn wel een paar keer op bezoek geweest, maar dan bleven ze niet logeren.

'Zou je het leuk vinden om een van je vriendinnen uit te nodigen om straks hier te komen?' bood mijn tante aan.

Ik dacht snel na. Eliza kan niet goed lopen, Senna is altijd aan het werk. Maar Chelly?

'Wat gaan we dan doen?'

'Een film kijken? Ik heb een heleboel dvd's.'

Ik sprong op om haar een zoen te geven. 'Hartstikke leuk!' zei ik en ik stuurde Chelly een berichtje. Ze antwoordde meteen:

moet nog een beetje huiswerk maken. Jij niet?

Ik schreef terug:

kom hierheen, dan doen we t samen.

Ze vond het een leuk idee. Ik schreef haar waar mijn tante woonde en een halfuur later belde ze aan.

Ze had veel minder af dan ik en ik hielp haar. Daarna werkten we nog een klein stukje vooruit. Ik had al een heleboel geschiedenis zitten leren. Dat is echt mijn beste vak aan het worden.

Toen we klaar waren, kwam mijn tante binnen met cola en toastjes en een stapel dvd's.

'Vind je het misschien prettiger als ik de hele week hier ben?' bood ik aan. 'Dan haal ik nog wat dingen van thuis. Mijn paardrijspullen zijn nu toch hier.'

'Het is wel gemakkelijker,' zei mijn tante, 'als jij het niet erg vindt?'

Ik vond het helemaal niet erg. Wat mij betreft kwam ik voor altijd bij haar wonen. Ze nodigde Chelly ook nog uit voor het eten.

'Geen driesterrenmaaltijd, hoor!' waarschuwde ze. 'Ik maak een grote schaal sla met van alles erin en met brood erbij, en ik heb een heel erg lekker toetje.'

Toen ze naar de keuken was vertrokken, zei Chelly: 'Wat een leuke tante heb jij!'

Ik knikte trots.

Verwend

Het kastje naast mij in de zadelkamer stond wijd open. Maura Moonlight was er. Ik pakte Sunny's poetsdoos en ging naar stal. Ik was blij dat ik vroeg was. Want op woensdagmiddag zijn alle ponylessen, dus dan rennen er almaar kinderen door de stal. Dat vindt Sunny vreselijk.

Ik poetste Sunny en ging toen het zadel en hoofdstel halen.

En ja hoor, daar stond Maura.

'Ik had afgesproken dat mijn paard gelongeerd zou worden,' begon ze meteen, 'maar ik zie niemand van het personeel.'

'Janine loopt wel ergens rond, hoor,' zei ik, 'misschien heeft zij het al gedaan.'

'Ik had om dat jonge meisje gevraagd,' zei Maura. Ik nam aan dat ze Senna bedoelde.

'Die zit op school tot een uur of één,' zei ik.

'Op schóól?'

'Ja, natuurlijk,' zei ik lachend.

Ze trok een zuur gezicht en rommelde wat in haar kast.

'Dan zal ik het zelf moeten doen,' verzuchtte ze en ze verdween richting stal met een halster, een lange lijn en een longeerzweep.

Ik haalde mijn schouders op. Wat moet zo'n mens met een eigen paard als ze alles wat je met hem moet doen te veel moeite vindt? Misschien heeft ze ooit gedacht dat het wel leuk was en had ze er niet op gerekend dat het veel werk is. Of ze wilde alleen een eigen paard om indruk op haar vrienden te maken.

Ik liep met mijn zadel en hoofdstel naar Sunny en legde

ze op de uitgeklapte beugel naast zijn box. Pas op het laatste moment zou ik hem zadelen.

'Sunny?'

Hij keek op en snuffelde door de tralies van zijn box aan mijn hand. Geen wortel, leek hij te denken.

'Wacht!' Ik pakte een stukje wortel uit mijn bodywarmer.
'Kijk eens! Voor jou.'

Ik bleef nog even bij hem staan, toen ging ik naar de foyer.

Daar kwamen de eerste kinderen al binnen. De middag begon met een les voor halfgevorderden. Die reden pas een jaar of zelfs korter.

'O, ik heb Smurfin!' hoorde ik een meisje zeggen. 'Wat erg!'

'Ze is juist leuk,' zei iemand anders.

'Helemaal niet leuk. Ze gaat gewoon in het midden staan als ze niet meer wil. Daar krijg ik haar nooit meer weg.'

'Hoera, ik heb Cupido!'

'En ik Monami.'

Ik luisterde naar de opgewonden stemmen.

Zo ging het vroeger in het dorp ook. Alleen hadden wij veel minder pony's in de manege.

Een groot blond meisje kwam binnen met haar moeder. Ze leken op elkaar. De moeder drong zich tussen de kinderen.

'Je hebt Just In Time,' zei ze tegen haar dochter.

'Die wil ik niet. Dat is een schimmel.'

Meneer Vincent kwam de foyer binnen.

'Goedemiddag!' groette hij.

'Mag ik een andere pony?' zei het meisje onmiddellijk.

'Nee.'

'Vincent,' zei de moeder, 'mijn dochter houdt niet van schimmels.'

Ik wist niet wat ik hoorde!

Meneer Vincent lachte.

'Dan moet ze maar niet te veel naar beneden kijken, want Justin is echt wel wit.'

'En haar rijkleren komen onder de witte haren te zitten.'

Meneer Vincent keek de moeder even zwijgend aan.

'Komt u even mee naar de bar,' zei hij, 'mag ik u een kop koffie aanbieden?'

De moeder liep met hem mee. Het meisje bleef bij de andere kinderen staan.

'Ik hou gewoon niet van schimmels,' hoorde ik haar zeggen.

Ik ging wat dichter bij de bar staan. Ik was toch zó benieuwd hoe meneer Vincent het zou oplossen!

Maar ik kon niet verstaan wat hij zei. Even later stond hij op en liep fluitend de foyer uit. Ik ging ook weg,

Buiten, in de paddock, stond Moonlight in zijn eentje. Hij had een halster om, zonder touw. Maura was zeker klaar met longeren.

Ik ging bij de omheining staan. Hij kwam meteen naar me toe en snuffelde aan mijn bodywarmer. Ik gaf hem een stukje wortel.

Even later kwam zijn eigenaresse aanlopen.

Ze deed net of ze me niet zag en haalde haar paard uit de paddock. Ik slenterde op een afstandje achter hen aan. Bij de stal liep ze Vincent tegen het lijf.

'Heb je al iemand gevonden?' vroeg ze.

'Jazeker,' antwoordde hij, 'onze jonge medewerkster kan hem drie keer per week voor u rijden.'

Ik durfde niet te blijven staan. Hij bedoelde vast Senna. Ik was blij voor haar. Ze zit nog op school, maar daarbuiten werkt ze keihard om wat te verdienen. Haar vader is afgekeurd en heeft geen baan en haar moeder maakt kantoren schoon. Ze heeft nog twee jongere broertjes.

Ik voel me soms schuldig omdat ik alles kan kopen wat ik maar wil. Eigenlijk ben ik ook best verwend. Maar ik heb nog nooit tegen iemand gezegd dat een pony niet goed genoeg voor me is. En ik loop ook niet te zeuren dat anderen mijn werk moeten doen.

Bonte avond

'Vanavond is het bonte avond,' zei mijn tante.

'Wat bedoel je?' vroeg ik.

Ik was net thuis van school en we zaten thee te drinken. Angèle had weer wat lekkers gekocht voor bij de thee.

'Morgen komen papa en mama terug,' zei ze.

Ik vind het altijd gek als ze mijn ouders niet bij hun voornaam noemt. Mijn moeder is haar eigen zus. Alleen tegen heel kleine kinderen zeg je papa en mama als je hun ouders bedoelt. Maar na deze week kon ik niet meer boos op mijn tante worden. Ze had zo verschrikkelijk haar best gedaan om het gezellig voor me te maken.

'Zou je het leuk vinden om een paar vriendinnen uit te nodigen?' bood ze aan. 'Dan gaan we gourmetten.'

'Gourmetten?' Het leek me enorm stom.

'Ik heb van die pannetjes. Daar doe je dan een stukje vlees in.'

'Ik ben vegetariër,' zei ik bot.

Maar mijn tante keek zo teleurgesteld dat ik me bedacht.

'Ik zal Eliza bellen of ze zin heeft om te komen. En Chelly en misschien Amira. Nou nee, die ken ik eigenlijk niet zo goed.'

'En dat stalmeisje dat jou helpt?'

'Senna. Goed idee.'

Ik kreeg er zin in en pakte mijn telefoon. Ze konden alle drie. En Senna leek het zelfs wel leuk te vinden. Ze is veel vrolijker sinds ze weer op stal werkt.

'En die dorpsvriendinnen?' vroeg mijn tante.

'Morgen moeten ze weer naar school. De bus doet er meer dan een halfuur over. Dan wordt het veel te laat voor ze.'

'Dan breng ik ze toch naar huis?'

Ik wist niet hoe ik het had. Ik geloof dat ik wel een paar seconden niets zei voordat ik antwoord gaf.

'Dat zou waanzinnig leuk zijn, wat ben je lief, Angèle!'

Ze bloosde.

Ik belde Lutske. Die heeft haar telefoon nog wel eens bij zich. Maaike niet, die is zo slordig. Maar het was precies andersom: Ik kreeg Lutskes voicemail en Maaike nam meteen op. Ik vroeg of ze zin had om te komen en als een prinses weer naar huis te worden gereden na het eten.

Natuurlijk wilde ze komen en even later belde ze terug om te zeggen dat Lutske ook kwam.

Senna zou eerst nog met Sundance rijden. Dan ging ze gauw naar huis om iets anders aan te trekken en kwam ze naar ons toe.

'Waar is het?'

Ik gaf het adres.

'Maar je hoeft je niet te verkleden, hoor. Wij vinden het best als je naar paarden ruikt.'

'Maar ik niet,' zei ze, 'en zo vaak heb ik geen feestje.'

Ik kreeg steeds meer zin in gourmetten.

'We moeten boodschappen doen,' zei mijn tante. 'Jij moet alle vegetarische dingen aanwijzen die je lekker vindt en dan koop ik voor de andere meiden wat kip en vis. Ja, ja, biologisch,' voegde ze er snel aan toe.

We kochten van alles en ook nog een ijstaart voor het dessert.

'Het is tenslotte bonte avond,' zei mijn tante.

Ik liep naast haar te huppelen.

We waren nog maar net terug, toen Chelly aanbelde en tien minuten later stonden Lutske en Maaike op de stoep.

'Wat snel!' riep ik.

'Aaltje heeft ons gebracht,' zei Maaike. 'Dat is de eigenaresse van onze manege,' legde ze mijn tante uit.

Eliza werd door haar vader met de auto afgeleverd.

'Ik kom je om negen uur halen!' zei hij.

Ik had al een stoel met een laag bankje ernaast voor Eliza klaargezet.

'Ik hoef niet de hele tijd met mijn voet omhoog te zitten, hoor,' zei ze.

'Aan tafel heb ik geen bankje,' zei ik, 'anders is er niet genoeg plaats.'

We dekten met z'n vieren de tafel, terwijl mijn tante drankjes inschonk en Eliza muziek uitzocht. Net toen we ons begonnen af te vragen waar Senna bleef, belde ze aan.

Ik rende naar de voordeur, rukte hem open en bleef met open mond staan. Senna had een korte rok aan met een prachtig jasje erbij en korte laarsjes. Ze had haar ogen opgemaakt en zag er fantastisch uit.

'Wat ben je mooi!' zei ik verbluft.

Ze lachte. 'Jij ziet me altijd in mijn werkkleren,' zei ze, 'maar vandaag is het feest.'

En ineens was het inderdaad feest, veel meer dan op mijn verjaardag, veel meer dan met kerst of Sinterklaas.

We zaten aan tafel te kliederen met die stomme pannetjes en we hadden het over paarden, over het dorp en over onze scholen.

Chelly wil wel een keer mee naar de manege in het dorp.

'Misschien vind ik het daar niet zo eng.'

Lutske en Maaike schoten in de lach.

'Kom maar gauw een keer proberen,' zeiden ze. 'Aaltje helpt je wel over je angst heen.'

'Heb je zin om zondag met Senna en mij naar Sundance te gaan?' bood ik aan. 'Dan is er bijna niemand. We kunnen hem aan de longe doen, hè Senna?'

Senna knikte. 'Dan loopt Sophie naast de pony mee en ik hou hem vast met de lange lijn.'

'Je bedoelt dat ik er dan op ga rijden?' griezelde Chelly.

Maaike draaide met haar ogen.

'Het is geen tijger!'

Ik herinnerde me maar al te goed hoe eng ik het in het begin vond, met Sundance. En dat terwijl ik nooit bang was voor pony's.

'We proberen het gewoon,' zei ik, 'en als je het eng vindt, stap je weer af.'

'Mogen wij ook komen?' vroeg Lutske.

'Ja, natuurlijk!'

Eliza keek sip.

'Nog een paar weken,' zei ik troostend, 'en dan mag jij ook een keer op Sunny. Zonder longe.'

Ze lachte. 'Fijn,' zei ze blij, 'ik heb nog nooit op een eigen pony gezeten. Is het heel anders?'

'Nee,' zei Senna, 'en zeker niet anders dan Aurora. De meeste manegepony's trekken zich niks meer van de ruiters aan, maar Aurora wel. Die is heel gevoelig.'

We hadden het over de rare streken van Aurora.

'Als er een beginner op zit, zo'n klein kind, doet ze niks,' vertelde Senna, 'dan is ze zo braaf als wat. Maar als iemand een beetje kan sturen,' ze wees naar Eliza, 'dan bokt ze.'

Mijn tante zat met een glimlach te luisteren naar alle ponyverhalen. Ik stootte Lutske aan.

'Vertel eens van Jumper,' zei ik.

'O ja! Jumper is een pony bij ons in de manege. Als hij moet mesten, gaat hij in de hoek van de rijbaan staan. Altijd in dezelfde hoek. Hij loopt gewoon de rij uit. Je kunt doen wat je wilt, maar hij laat zich niks zeggen. En als hij klaar is, wacht hij tot de andere pony's voorbijkomen. En dan voegt hij weer in.'

'Op zijn eigen plaatsje,' vulde Maaike aan, 'en denk maar niet dat je hem ergens anders achter kunt zetten, want dat doet hij gewoon niet.'

Mijn tante schaterde.

'Wilt u zelf niet een keer rijden?' vroeg Maaike aan mijn tante.

Iedereen was ineens stil en keek mijn tante aan.

'Je hoeft geen u te zeggen,' zei ze, 'ik heet Angèle. Maar ik weet niet of ik dat durf, hoor.'

'Chelly durft ook niet echt,' zei ik, 'je kunt het toch proberen?'

'Zullen we om tien uur bij ons in de manege afspreken?' stelde Senna voor. 'Misschien komen jullie dan ook.' Dat laatste was tegen Lutske en Maaike.

Ik klapte in mijn handen.

'Sunny krijgt een hele fanclub!' Maar plotseling was ik ongerust. Ik boog me naar Senna.

'Hij zal het toch wel leuk vinden?' fluisterde ik.

Senna legde een hand op mijn arm.

'Ik denk het wel,' zei ze geruststellend, 'als er maar niemand gilt of rare plotselinge bewegingen maakt. Maar daar zijn we zelf bij, toch?'

'Maaike, we moeten weg,' zei Lutske met een blik op haar horloge.

'Ik breng jullie,' zei mijn tante. 'Moet ik jullie ook een lift geven?' Dat laatste was tegen Senna en Chelly.

'Nee, ik ben met de fiets en het is vlakbij,' zei Chelly.

'Ik ook,' zei Senna.

De bel van de voordeur ging.

'Dat is mijn vader,' zei Eliza.

Iedereen stond op om weg te gaan. Alleen Senna bleef nog.

Mijn tante pakte haar autosleutels en keek nog even naar de volle tafel.

'Ik ruim wel af,' zei ik.

'Zal ik helpen?' vroeg Senna.

Ik schudde mijn hoofd. 'Ik kan het best alleen. En jij moet thuis al zo veel doen.'

Senna keek ineens nors.

'Valt wel mee.'

Ik kneep in haar arm.

'Ik vond het heel gezellig dat je er was,' zei ik, 'en ik heb geleerd dat je je gasten niet de keuken in mag sturen.'

Ze lachte weer.

'Nou, dan ga ik maar. Het was hartstikke leuk.'

'Vond ik ook. Zie ik je zaterdag?'

'Nee, die dag werk ik nog in de supermarkt. Maar ik ben er zondag om tien uur.'

Ik bracht haar naar de voordeur en ging toen terug om af te ruimen.

De huiskamer van tante Angèle zag er feestelijk uit met alle pannetjes, de borden en de lege schalen. Het was een enorme troep.

'Wat een goede bonte avond,' mompelde ik en ik maakte een stapel van de pannetjes.

Een huis op Mallorca

Ik was een beetje vergeten hoe het leven met mijn ouders ook alweer was.

De hele week dat ik bij mijn tante had gelogeerd had alles om mij gedraaid. Zo leek het tenminste. 's Ochtends lagen mijn boterhammen voor tussen de middag naast mijn ontbijtbord. 's Middags had ze thee en sandwiches gemaakt, elke dag overlegden we wat we 's avonds zouden eten. We ruimden samen de keuken op.

Nu waren mijn ouders er toen ik thuiskwam uit school. De gang stond vol koffers. Mijn vader zat op de bank met iets in een glas en een stapel post voor zich. Mijn moeder bladerde in de kranten.

'Hallo schat!' zei mijn vader. 'Jullie hebben niet één keer de post uit de brievenbus gehaald.' Hij strekte zijn arm naar me uit om me een zoen te geven.

'Geeft niet hoor,' zei mijn moeder. 'Was het gezellig met Angèle?'

Ik ging op de leuning van haar stoel zitten. Ze sloeg een arm om me heen.

'Wil je wat drinken?'

'Thee,' zei ik, 'maar ik zet hem zelf zo meteen wel. Hoe was het daar? Jullie zijn bruin geworden.'

Stralend vertelden ze over het huisje, dat niet echt pal naast dat van Hélènes ouders lag, maar een eindje ervandaan, langs een glooiend pad.

'De grote slaapkamer heeft een balkon en daarvandaan kun je de zee zien,' zei mijn moeder. 'Als ik mijn bed uit stap, zie ik hem meteen.'

'En wat zie ik als ik mijn bed uit stap?' vroeg ik.

'Dat hangt er vanaf welke kamer je het leukst vindt,' zei mijn vader. 'Er zijn twee extra slaapkamers.'

'In die ene past een dubbel bed en er is een douche,' onderbrak mijn moeder hem, 'dus die is voor de gasten. Jij krijgt een schattig klein slaapkamertje. Het kijkt uit op de weg.'

'En waar moet ik dan douchen?'

'Als we gasten hebben, douche je bij ons. Anders mag je die in de logeerkamer gebruiken.'

Ik beet op mijn lip en stond op van de bank.

'Ik ga thee zetten. Wat eten we?'

'Daar zijn we nog niet aan toe,' zei mijn moeder. Ik voelde dat ik driftig werd, maar ik wilde niet meteen ruziemaken.

In de keuken dacht ik na. Eigenlijk was het raar dat ze mijn tante niet meteen hadden uitgenodigd. Zij had een hele week voor mij gezorgd.

'Zullen we Angèle vragen of ze komt eten?' stelde ik voor toen ik met mijn thee de woonkamer binnenkwam.

'Heb ik net gedaan,' zei mijn moeder, 'maar we eten niet hier, we gaan uit. Niks bijzonders hoor, gewoon de Thai.'

'Lekker!' zei ik.

'Hoe ging het deze week?' vroeg mijn moeder.

'Hartstikke goed,' zei ik. 'Angèle is mee geweest naar de manege.'

'O ja?' Ze pakte haar telefoon en las een bericht.

'Laurens komt zondag,' zei ze tegen mijn vader.

'Alleen?' Hij was ook met zijn telefoon in de weer.

'Nee, met Hélène,' antwoordde ze.

Ik pakte mijn beker en ging naar mijn kamer.

Op mijn bed lag een pakje. Een cadeautje! Mijn ouders hadden een cadeautje voor me meegebracht! Nieuwsgierig trok ik het plakband los. Het voelde zacht aan. Kleren?

Het was een sjaal, een blauwzijden doek met bloemen. Ik vond hem prachtig. Ik bekeek wat ik aanhad: een spijkerbroek met een lichtgroene sweater. Ik trok de trui uit en verwisselde hem voor een wit T-shirt met lange mouwen en een vrij lage hals. Daar kon de sjaal mooi op. Ik keek in de spiegel. Mijn haar zat plat. Ik haalde er een borstel doorheen. Eigenlijk zag ik er best leuk uit zo. Ik keek naar mijn voeten. Ik had gympen aan. Dat kon beter. Ik zocht in mijn klerenkast tussen de schoenen die op de grond stonden. Ik moest ergens blauwe laarsjes hebben.

Met de hele outfit aan ging ik terug naar de woonkamer.

Mijn moeder sloeg zowat achterover.

'Dat stáát je goed!' riep ze uit.

'Dank je wel voor het mooie cadeau,' zei ik, 'ik ben er heel erg blij mee.'

Mijn vader keek goedkeurend.

'Je wordt een knappe meid,' zei hij.

We ontmoetten mijn tante in het restaurant. Het was raar haar te zien, anders dan die ochtend. Toen hoorden we een beetje bij elkaar. Nu was het weer zoals voor de vakantie van mijn ouders. Ze kletste met mijn moeder en zei alleen maar af en toe iets onnozels tegen mij.

Pas toen mijn moeder aan haar vroeg hoe het was gegaan verleden week, keek ze me aan en knipoogde.

'We hebben het hartstikke leuk gehad,' zei ze. 'Sophie is de ideale dochter. Je mag wel blij zijn met zo'n gemakkelijke tiener.'

Mijn moeder haalde haar schouders op.

'Ze is pas twaalf. Nou ja, bijna dertien,' zei ze, 'het ergste komt nog.'

Ik voelde tranen opwellen en nam snel een hap rijst.

'Gaat het zondag nog door?' vroeg mijn tante aan mij.

Ik knikte.

'Wat gaan jullie doen?' vroeg mijn moeder met gefronste wenkbrauwen.

'Naar Sundance,' zei mijn tante.

'Wat zeg je me nou?'

'Naar de manege, naar Sophies pony.'

'Nou, nou, ik wist niet dat jij zo sportief was,' zei mijn vader lachend.

'Ik ga vooral voor de gezelligheid,' zei mijn tante.

'Nee, je mag er ook even op,' zei ik. 'Trek maar een strakke spijkerbroek aan en laarzen.'

'Ik vind het wel heel spannend!'

'Laurens en Hélène komen zondag, Sophie,' zei mijn moeder. 'Hou je daar wel rekening mee?'

'Ik heb om tien uur op de manege afgesproken,' zei ik, 'hoe laat komen zij?'

'Om elf uur. Zorg er in elk geval voor dat je met de lunch thuis bent.'

Ik knikte braaf, met het vaste voornemen me niets aan te trekken van die stomme broer van me. Ik kwam thuis als we klaar waren, niet eerder.

Mijn tante kan waarschijnlijk gedachten lezen. Ik ving haar blik op en ze knipoogde weer.

Terwijl mijn familie verder praatte over het huis op Mallorca, de inrichting van de kamers en de vakanties die we er zouden doorbrengen, dacht ik aan wat we zondag met Sundance konden doen. Misschien moest Senna hem eerst losrijden. Daarna konden Lutske en Maaike erop. Dan zou hij zeker niet gek doen tegen de tijd dat Chelly en mijn tante aan de beurt waren.

En ikzelf dan? Maar dat maakte niet zo veel uit. Ik vind het vreselijk om overgeslagen te worden, maar niet als ik uit mezelf plaatsmaak voor iemand anders.

De Sundance-club

Ik poets mijn pony zelf, voordat de hele club er is, had ik besloten. Ik was al om negen uur op de manege. Senna was aan het werk in de stal.

'Hoi!' groette ik.

Ze keek op en keek op haar horloge.

'Ik ga poetsen,' zei ik.

Het kastje van Moonlights eigenaresse stond open. Die was ook vroeg!

Sundance brieste tevreden toen ik hem een wortel gaf. Ik zette hem aan de ring buiten zijn stal en begon zijn hoeven schoon te krabben.

'We krijgen bezoek, Sunny.'

'O ja, wie?' liet ik hem in gedachten zeggen.

'Lutske, Maaike, Chelly,' somde ik op, 'Angèle en Eliza misschien ook. Maar die mag niet rijden, want die heeft haar enkel verstuikt.'

'Wat is verstuikt?'

'Wat ik ook had, in de tijd dat ik nog bang voor jou was.'

'Ja, stom hè, dat je bang was.'

Ik pakte de rosborstel.

'Je deed anders best chagrijnig tegen mij.'

'Ja, maar het was hier ook zo druk. En jij deed zenuwachtig.'

'Zul je braaf zijn als Chelly er is? Die is ook zenuwachtig. En Angèle ook.'

'Ik weet het niet. Ik kan het niet echt helpen als ik zo doe.'

Terwijl ik met de zachte borstel de losgewerkte haren wegveegde, zag ik Senna aankomen. Kan zij het ook niet helpen als ze chagrijnig doet?

Ze kwam naar ons toe.

'Ik hoop dat Chelly straks wat dichterbij durft te komen,' zei ik, 'ze was de vorige keer zo bang!'

'Als ze al komt,' zei Senna.

'Senna,' zei ik ineens, 'weet je nog dat ik zo bang was voor Sunny?'

Senna knipperde even met haar ogen.

'Nou ja, natuurlijk weet je dat nog. Maar wat ik je wilde vragen...'

Ik was zelf geschrokken dat ik erover begon, maar nu kon ik niet meer terug.

Ik pakte een pluk van Sunny's manen en kneep erin om mezelf moed te geven. Hij schudde even met zijn hals, maar liet het toe.

'Tegen Chelly was je zo lief,' zei ik snel, 'maar toen ik bang was, deed je juist onaardig.'

Zo, ik had het gezegd.

Senna werd rood en keek langs me heen.

Het was lang stil. Toen zei ze: 'Ik had me vergist. Ik dacht eerst dat je een verwend kreng was. Je had een pony cadeau gekregen. Maar je was niet eens blij met hem. Je keek niet naar hem om.'

Ik wist niet goed hoe ik haar moest uitleggen hoe het zat.

'Ik ben wel verwend, denk ik. Ik krijg altijd alles. Ik was eerst heel erg blij met Sunny. Maar ik had gedacht dat alle eigen pony's van hun baas hielden. En Sundance trapte naar me.'

Senna duwde haar handen in de zakken van haar body-warmer.

'Hij is een beetje humeurig. Maar hij is wel eerlijk.'

Het was net of ze het over zichzelf had en niet over Sunny.

'Je hebt gelijk,' zei ik.

'Ik moet de stal vegen. Daarna kom ik helpen.' Ze draaide zich om en liep weg. Ik haalde een paar strootjes uit Sunny's staart.

'Ik had eigenlijk gewild dat ze zei dat ze me tegenwoordig hartstikke leuk vindt,' zei ik, 'maar dat deed ze niet.'

Ik probeerde te verzinnen wat mijn pony terug zou zeggen, maar hij zei niks. Hij hoorde mensen aankomen. Zijn oren waren gespitst en hij tuurde naar de ingang van de stal.

Het was Maura van Moonlight.

'Ik had verwacht dat het stalmeisje hier was.'

'Ze was hier ook. Maar nu is ze buiten aan het werk.'

'Waar dan?'

Ik vouwde mijn handen uit elkaar. Hoe moest ik dat weten?

'Hebt u hulp nodig?'

'Ze moet Moonlight vanmiddag zijn beweging geven. Ik heb hem gelongeerd, maar dat is niet genoeg. Want morgen ben ik er ook niet.'

'Zal ik het doorgeven?

Ze nam me op van top tot teen.

'Ik ga haar eerst zoeken,' zei ze. Ik zag er vast heel onbetrouwbaar uit. Niet als iemand die een belangrijke boodschap voor haar kon overbrengen.

Ik had Sunny net klaar toen Lutske en Maaike de stal in kwamen. Ze renden meteen op hem af en knuffelden hem. Sunny legde zijn oren even plat, maar vond het toen toch wel leuk, denk ik, want ze hadden wortels voor hem meegebracht.

Mijn telefoon zoemde. Dat was Chelly.

Ik haalde haar op bij de ingang van de stal.

'Vind je het weer eng?' vroeg ik.

'Een beetje.'

We liepen samen naar binnen. Ik hield haar arm vast en liep snel met haar langs de stand, zodat ze geen kans had om rare dingen over trappende pony's te verzinnen.

Ik had Chelly nog niet afgeleverd of mijn tante belde. Die stond ook bij de ingang. Ik zei waar ik was en even later kwam ze de stal in. Ze had een strakke spijkerbroek aan en laarzen eroverheen.

Ik knikte haar goedkeurend toe.

'We kunnen in de buitenrijbaan rijden,' zei ik.

Ik deed Sunny's hoofdstel om en legde het halster in zijn voerbak.

'Zullen we?' De hele club liep achter me aan naar de buitenmanege. Senna stond bij de paddock met Maura te praten. Ze zag me en stak kort haar hand op.

'Ga jij er maar eerst op, hoor,' zei Lutske. 'Wij vinden het ook leuk om jou te zien rijden.'

Ze zegt altijd precies wat je het liefst hoort. Ik controleerde of de singel strak genoeg zat, schoof de beugels omlaag en pakte de teugels en het zweepje in mijn linkerhand. Maaike ging aan de andere kant van Sunny staan en bood tegengewicht terwijl ik opsteeg.

'Waarom heb je een zweep bij je?' vroeg Chelly.

'Niet om te slaan,' antwoordde ik.

'Waarvoor dan?'

'Als je pony niet luistert, waarschuw je met een tikje,' zei Lutske.

Ik zette Sunny eerst in stap. Na een paar rondjes ging ik in draf en maakte een paar figuren. Daarna liet ik hem van hand veranderen. Terwijl ik op de andere hand nog wat draafde, zag ik Senna aankomen. Ze had de longeerzweep bij zich en de lange lijn.

Ze keek even naar me en zei toen: 'Maak maar een volte en spring bij aankomst op de hoefslag aan in de rechtergalop.'

Ze liet me op de linkerhand ook nog wat galopperen en commandeerde me toen naar het midden.

Ik steeg af en Senna haalde de longeerlijn door de ene bitring en klikte hem onder Sunny's kin aan de andere bitring vast.

'Chelly, durf jij een rondje op Sundance te stappen?' vroeg ze. Chelly keek benauwd.

'Ik loop naast je mee,' zei ik, 'er kan niets gebeuren.'

'Toe maar!' moedigde Lutske aan.

'Oké,' zei Chelly en ze stapte moedig naar voren. 'Wat moet ik doen?'

Senna keek mij aan.

'Haal even een kruk,' zei ze, 'dat is gemakkelijker voor haar.'

Ik knikte en ging snel een houten trapje halen. Bij de paddock stond er een. We gebruiken ze vaak. Het is beter voor de paarden als je niet vanaf de grond opstijgt. Dan trek je het zadel scheef en dat kan pijn doen.

En Senna had gelijk. Het is inderdaad minder eng als je via een trapje opstapt. Dan lijkt zo'n pony niet zo hoog.

Chelly stond klaar, naast Senna. Ik zette de kruk neer en ze beklom hem langzaam, stap voor stap, alsof het een lange ladder was.

'Eng!' riep ze.

'Helemaal niet,' zei Senna. 'Nu zet je je linkervoet in de beugel en zwaait je rechterbeen over de pony heen. Net alsof je op een jongensfiets stapt. Denk daar maar aan.'

Chelly zat. Ze klemde zich vast aan het zadel. Senna deed een paar stappen naar achteren om de lijn lang te maken. Ik kwam naast mijn pony staan en gaf een tongklakje. Voorzichtig stapte hij naar voren. Het leek wel of hij wist dat er iemand op zijn rug zat die nog nooit eerder had gereden. We stapten een half rondje, toen liet Senna hem halthouden.

'Hoe gaat dat, Chelly?'

Chelly had een vuurrood hoofd.

'Goed, wel spannend.'

We stapten nog wat, veranderden van hand en liepen nog een paar rondjes. Toen stuurden we Sundance naar het midden en hielpen Chelly afstijgen.

'Goed gedaan joh!' prees Senna. Ik keek haar aan. Tegen mij zegt ze nooit dat ik iets goed doe.

Na Chelly was mijn tante aan de beurt. Die was helemaal niet bang. Ze zat met een brede grijns te genieten van het ritje.

'Ik denk dat u wel zonder meeloper durft,' zei Senna.

'Ja hoor!' zei mijn tante lachend. Ze wilde zelfs wel een klein stukje draven en hobbelde vrolijk op Sunny's rug. Ik keek gespannen toe. Zou mijn pony de lol er nog van inzien? Maar hij zette geen stap verkeerd en draafde heel rustig rond. Misschien had hij wel eens eerder beginners op zijn rug gehad. Ik heb nooit gevraagd wat hij heeft meegemaakt voor hij mijn pony werd. Eigenlijk is dat gek. Ik nam me voor het aan mijn ouders te vragen. Als die zich tenminste nog herinnerden waar hij vandaan kwam.

'Hij doet het goed, hè?' zei Lutske.

'Daar liep ik net over na te denken,' antwoordde ik. 'Zou hij al eerder als beginnerspony zijn gebruikt? Hij doet het zo braaf!'

'Zal ik het een keer aan Aaltje vragen?' bood Lutske aan.

'Kent zij hem van vroeger?'

'Zij heeft hem voor je ouders uitgezocht,' zei Maaike.

Daar had ik nooit bij stilgestaan, maar natuurlijk was het zo gegaan.

'Wisten jullie dat ik een pony zou krijgen voor mijn verjaardag?' vroeg ik

'Nee,' zei Maaike, 'en dat is maar goed ook, want ik had nooit mijn mond kunnen houden.'

'Ik wist het,' bekende Lutske.

Maaike en ik keken haar stomverbaasd aan.

'Echt wel,' wist ik nog uit te brengen.

'En daar heb je al die tijd nooit iets over gezegd!' riep Maaike uit.

Lutske maakt een hulpeloos gebaar naar Maaike. 'Ik vond het niet leuk voor jou, dat ik het wist en jij niet. Dus zei ik maar helemaal niks.'

Mijn tante was inmiddels afgestapt. Ze had rode wangen en straalde.

'Leuk hoor!' zei ze.

'Ga je paardrijles nemen?' vroeg ik.

'Welnee! Het was leuk voor een keer. Maar het is mij te moeilijk. Ik heb bewondering voor jou, dat je zo stil kunt blijven zitten terwijl die pony je alle kanten op gooit.'

'Morgen zul je wel een beetje spierpijn hebben,' zei ik.

Ze haalde haar schouders op.

'Dan weet ik in elk geval dat ik wat gedáán heb.'

'Willen jullie nog rijden?' riep Senna naar Lutske en Maaike. 'Als Sophie dat tenminste goed vindt?'

'Ja hoor, ik vind het prima,' zei ik.

Maaike ging eerst. Ze liep naar Sunny toe en bleef wachten tot ik haar kwam helpen met opstijgen. Ik controleerde de singel, maar alles zat nog zoals het moest. Senna had de lange lijn al losgemaakt en gaf hem aan mij.

'Ik ga op Moonlight rijden,' zei ze.

'Ik hoorde meneer Vincent al zoiets zeggen,' zei ik. 'Ze heeft iemand nodig die haar helpt. Ze redt het niet in haar eentje.'

'Het is een fijn paard,' zei Senna, 'en het is een goed baantje.'

'Valt het buiten je werk op stal?'

'Ja. Ik werk twaalf uur per week op stal en Moonlight doe ik erbij. Daar gaat madam Maura voor betalen.'

Ik slikte.

'Maar Sunny dan? Heb je dan nog wel tijd voor hem?'

Senna hield haar hoofd schuin en glimlachte.

'Ja, natuurlijk! Voor Sunny máák ik gewoon tijd.'

'Moeten mijn ouders jou eigenlijk niet betalen?'

'Vroeger wel, maar nu niet meer. We zijn nu toch een soort vriendinnen.'

Het was de eerste keer dat ze zoiets zei en ik pakte even haar schouder.

Galop

Maaike stuurde Sundance naar het midden en Lutske nam hem over. Ze reed netter dan Maaike, voorzichtiger. Maar Sundance vond het allemaal prima. Hij had inmiddels vijf verschillende ruiters op zijn rug gehad, maar zijn oren bewogen vrolijk heen en weer. Dat is een teken dat een pony het naar zijn zin heeft.

'Mag ik ook even galopperen?' vroeg Lutske.

'Ja hoor,' zei ik, 'begin maar op de linkerhand. Als hij linksom gaat, springt hij gemakkelijker in galop aan.'

'Ik had ook even moeite op rechts,' zei Maaike.

'Wat bedoelen jullie?' vroeg mijn tante.

Ik legde uit dat paarden, net als mensen, links- of rechtshandig zijn.

'Dan zijn ze soepeler aan één kant. De meeste pony's gaan het liefst linksom.'

'Maar galopperen is toch gewoon galopperen?' zei Chelly.

Ik wees naar Sunny's voorbenen.

'Zie je dat hij zijn linkerbeen het verst naar voren zet? Als hij rechtsom gaat, op de rechterhand, doet hij dat met zijn rechtervoorbeen.'

Lutske veranderde van hand en wilde in de rechtergalop aanspringen. Sundance ging harder draven. Ze probeerde het opnieuw.

'Zet hem maar op de volte,' riep ik.

'Wat is een volte?' vroeg mijn tante.

'Een cirkel,' zei Maaike.

Nu sprong Sunny goed aan.

'Zie je wel.' Ik wees. Mijn tante en Chelly keken me nietbegrijpend aan.

'Waarom moest hij nou op een cirkel?' vroeg mijn tante.

'Omdat het helpt. Ik weet eigenlijk niet waarom dat zo is. We zullen het straks aan Senna vragen.'

'Ik weet het ook niet,' zei Maaike, 'we doen het gewoon altijd op die manier.'

Op dat moment kwam Senna op Moonlight naar de buitenrijbaan.

Ik maakte de omheining open en liet haar binnen.

'Senna, waarom moet je een volte maken als je paard niet in galop gaat? Of niet in de goede galop aanspringt?'

Senna boog zich voorover en controleerde eerst op haar gemak of de singel strak genoeg zat. Toen ging ze rechtop zitten en nam de teugels op maat. Die zaten net niet gespannen, maar wel zo dat Moonlight haar hand kon voelen. Dat zag ik, want hij ging onmiddellijk op het bit kauwen. Teugels op maat maken lijkt gemakkelijk, maar dat is het niet. Als je te hard trekt, maakt je pony zijn hals stijf en als je de teugels te los laat, heb je geen contact.

Ik wachtte.

'Galopperen begint bij het achterbeen. Je denkt dat hij begint met het been dat je naar voren ziet komen, maar dat is niet zo. En dat achterbeen, waarmee hij moet beginnen, mag niet naar buiten uitzwaaien. Want dan lukt het hem niet een beginsprong te maken. Op een volte kun je met jouw hulp ervoor zorgen dat zijn buitenbeen onder de massa blijft.'

Mijn tante hief haar handen en Chelly schoot in de lach.

'Te moeilijk voor mij!' riep Angèle.

Maar ik begreep wel wat Senna bedoelde. De massa is gewoon zijn lijf. Ik nam me voor eens te kijken of ik kon voelen wat zijn benen deden, terwijl ik in het zadel zat.

Senna stuurde Moonlight de hoefslag op. Hij liep ontspannen en boog meteen zijn hals. Senna is echt een goede amazone.

'Hallo jongens!' klonk het achter me. Ik draaide me om.

'Hélène!'

Ik was stomverbaasd.

'Ik verveelde me een beetje met het geklep over dat huis op Mallorca. Je moeder zei dat je hier was. Ik moest je eraan herinneren dat je om halfeen thuis zou zijn.'

Ik keek op mijn telefoon.

'Dat gaat dus niet lukken.'

'Nee,' zei Hélène onverschillig.

Ze keek even naar Sundance, maar ze had vooral oog voor Moonlight.

'Dat is een mooi paard,' zei ze.

Ik deed of ik haar niet hoorde.

Lutske kwam naar ons toe en hield halt.

'Genoeg,' zei ze hijgend.

'Ik stap hem even droog,' zei ik. Lutske steeg af en ik nam haar plaats in.

'Ik trakteer op cola,' kondigde mijn tante aan. 'Wie heeft er dorst?'

'De foyer is dicht,' zei ik.

'Ik heb een koeltas met cola in de auto. En een heleboel papieren bekertjes.' Mijn tante is echt een kanjer.

'Ik blijf even kijken,' zei Hélène.

Lutske, Maaike en Chelly gingen met Angèle mee. Ik gaf Sunny een lange teugel en liet hem op de binnenhoefslag stappen. Als Hélène belangstelling had getoond, had ik hem nog wel even laten draven en galopperen. Maar ze had alleen oog voor Moonlight. Nu Senna reed leek het wel een ander paard. Hij liep mooi aan de teugel, met een gebogen hals en zijn hoofd precies zo, dat er een denkbeeldige rechte lijn naar de grond liep. Ze zette hem aan in galop. Ik keek of ik kon zien welk been het eerst naar voren kwam. Het was inderdaad het buitenachterbeen. Ik had altijd gedacht dat het het binnenvoorbeen was, omdat je dat het duidelijkst naar voren ziet komen.

'Hoi!'

Ik keek wie daar riep.

'Nou ja, Eliza! Hoe kom jij hier?' Ik liet Sunny halthouden.

'Mijn moeder heeft me gebracht. Waar is iedereen?'

Hélène keek verbaasd van Eliza naar mij.

'Je hebt een hele vriendinnenclub,' zei ze.

'Sundance heeft een vriendinnenclub,' verbeterde ik haar.

'Allebei,' zei Eliza. Ze legde haar krukken op de grond en stak haar hand uit.

'Ik heet Eliza.'

'Hélène. Ik ben de vriendin van Sophies broer.'

'Ik wist niet dat je een broer had.'

'Ik heb er twee,' zei ik.

'Mijn tante en de anderen zijn naar haar auto gegaan om wat te drinken. Als je zin hebt in een colaatje, moet je daar zijn.'

'Ik blijf liever even kijken. Hebben ze al gereden? Heeft Chelly gereden?'

'Ze heeft rondgestapt. En mijn tante heeft gedraafd.'

Eliza zuchtte.

'Nog drie weken.'

Ik keek met een schuin oog naar Senna.

'Wil je hem droogstappen?' vroeg ik.

Eliza straalde.

'Mag dat?'

'Van mij wel. Ik help je er wel op.'

Ik liet me uit het zadel glijden.

'Is dat wel verstandig?' vroeg Hélène.

'Nee,' zei ik, 'maar wel leuk. Hou jij hem even vast?'

Hélène kwam de rijbaan in en hield Sunny aan zijn teugel vast terwijl ik het trapje haalde. Eliza had haar krukken aan de kant laten liggen en hinkte naar ons toe. Sunny hield wantrouwig zijn hoofd hoog, maar toen ze op het krukje ging zitten en zich omhoog hees, begreep hij dat we hem geen pijn gingen doen.

Senna kwam naar ons toe. Ze fronste haar wenkbrauwen.

'Zijn jullie voorzichtig? Als er iets gebeurt, krijg ik de schuld.'

'Er gebeurt niks. Ik loop ernaast,' zei Hélène.

Telkens als ik denk dat ik haar toch niet zo aardig vind, doet ze iets leuks.

Senna schudde haar hoofd.

'Ik ben niet verantwoordelijk, als je dat maar weet,' zei ze. Ze draafde weg naar de verste uithoek van de rijbaan.

Mijn tante, Lutske, Maaike en Chelly kwamen terug. Ze hadden een halflege fles cola bij zich.

Ik had dorst en dronk twee bekertjes achter elkaar. Maar ik hield mijn pony wel in de gaten. Ik zou het heel erg vinden als er nu iets verkeerd ging. Maar het ging goed. En Eliza keek alsof ze op een sprookjespony zat. Hélène liep aan Sunny's linkerkant en leidde hem alsof ze haar hele leven niks anders had gedaan. Maar ze was met haar gedachten niet bij mijn pony. Zij zag een heel ander sprookjespaard: Moonlight.

Veranderingen

Frank was terug van vakantie. Ik hoorde zijn stem toen ik het trapje naar de foyer op kwam. Maar hij klonk niet vrolijk en uitgerust. Hij stond bij het bord waar de indeling van de lessen op staat en hij was boos.

'Wie heeft die lijst gemaakt?' vroeg hij aan Janine. Ik liep door naar de bar en deed net of ik niet luisterde.

Netty stapelde glazen op en deed ook net of ze niet luisterde.

'Mag ik een kopje thee?' vroeg ik.

Ze pakte een kopje en zette het onder het koffie- en thee-apparaat, maar haar aandacht was bij het gesprek bij het bord.

'Ik denk dat Tineke die lijst nog heeft gemaakt.'

'Maar wat doet zo'n meisje als Myrthe in een gevorderden-les?'

'Halfgevorderden,' verbeterde Janine hem.

'Ze kan nog niet eens behoorlijk galopperen.'

'Myrthes moeder is een drammerig type.'

'Heeft die gevraagd of Myrthe mee mocht rijden in mijn les?'

'Gevraagd is niet helemaal het juiste woord.'

Frank zuchtte.

'Ik weet het. Maar ik vind het een rotstreek van Tineke dat ze dat kind gewoon op de lijst van vaste ruiters op dat uur heeft gezet.'

Janine draaide zich om.

'Ik ga de kleintjes lesgeven,' zei ze. Bij de deur bleef ze nog even staan.

'Tineke werkt hier niet meer, dus waar maak je je druk om?'

'Ik maak me druk omdat ik straks met die moeder in gevecht moet om dat kind weer uit de les te krijgen,' zei Frank kwaad.

Ik dronk mijn thee op en ging naar stal. Straks begon onze les. Ik hoopte maar dat Senna mijn pony nog had opgezadeld voor ze naar haar baan in de supermarkt ging.

Hij stond in zijn box, met het zadel op zijn rug. Aan de beugel naast zijn box hing het hoofdstel. In gedachten bedankte ik Senna. Ik haalde mijn zweepje op uit de zadelkamer en pakte een zakje paardensnoep.

'Wil je nog wat lekkers voor we de bak in gaan?'

'Bak, bak, het is de rijbaan hoor!' liet ik hem zeggen.

'Ja, ja, dat weet ik wel,' mopperde ik terug, 'zul je straks heel lief en gehoorzaam zijn?'

'Dat zullen we nog wel zien.'

'Kom,' zei ik en ik deed het hoofdstel om.

Bij de ingang van de rijbaan stond al een rij manegepony's klaar. Er stond één meisje tussen dat ik niet kende. Dat was vast Myrthe. Haar moeder stond naast haar en hield de teugel van Monami vast.

Ik keek naar het meisje. Ze staarde strak voor zich uit en luisterde niet naar de aanwijzingen die haar moeder gaf.

'Je moet straks maar niet te ver achter in de rij gaan rijden. Probeer maar op de derde of vierde plek te komen. Ook niet te veel voorop, want je kunt misschien nog niet alles wat de andere kinderen kunnen.'

Wat een onzin, dacht ik, wat maakt het uit of je voor of achter in de rij rijdt?

'En Myrthe, niet te hard aan de teugels trekken. En als ze in galop gaan, vraag je maar aan Frank of jij in het midden mag staan. Kijk, daar komt hij net aan. We zullen het vast vragen.'

Myrthe zei niks.

'Frank!' riep de moeder.

'Goedemiddag allemaal!' groette Frank. Hij keek op zijn horloge hoe laat het was. We moesten nog even wachten tot de voorafgaande les was afgelopen.

'Frank!'

'Mevrouw De Boer, vertel het eens.'

'Myrthe is voor de eerste keer in deze les.'

'Dat weet ik,' zei Frank terwijl hij de toegangsdeur openmaakte.

'Deur vrij!' hoorde ik Janine roepen. 'Pony's netjes en ordelijk naar binnen, een voor een, linksom op de hoefslag, niet op elkaar dringen. Mars!'

'Frank! Ik wil dat Myrthe ergens vooraan in de rij...'

'Het komt goed, mevrouw De Boer.'

Hij luisterde niet langer en ging naar binnen.

De moeder van Myrthe liet de teugel van Monami los en rende achter hem aan. Monami schrok en maakte een zijsprongetje. Myrthe viel er bijna af, maar wist zich aan het zadel vast te houden. Ze begon te huilen. De pony voor haar was aan de beurt om naar binnen te gaan. Toen mocht zij en daarachter zaten Sundance en ik.

Monami liep vlak achter Cupido. Die is braaf dus ging het goed. Als Aurora daar had gelopen, was het meteen al misgegaan.

Binnen stonden Frank en de moeder van Myrthe ruzie te maken.

'Uw dochter mag dit uur meerijden en ik zal ervoor zorgen dat haar niets overkomt. Maar ik wil haar niet in deze les hebben. Ze kan het niveau niet aan.'

'Maar van Tineke mocht ze in deze les. Die zei dat Myrthe talent heeft.'

'Daar had mijn collega ongetwijfeld gelijk in. Misschien wordt Myrthe wel een heel goede amazone, maar nu is ze nog niet toe aan deze groep.'

'Maar het komt veel beter uit met de tijd als ze op maandag rijdt.'

Franks gezicht was rood aangelopen.

'Mevrouw De Boer, de les gaat beginnen. Als we klaar zijn is er nog een les. Maar daarna bent u van harte welkom om rustig te bespreken hoe we Myrthe een plezier kunnen doen met precies de ponyles waar ze zich prettig in voelt. Deur vrij!'

Mevrouw De Boer keek nog eens naar haar dochter, maar die zat helemaal verkrampt op Monami en keek strak voor zich uit. Ze had waarschijnlijk niets gehoord van het gesprek.

Frank begon de les met wat gymoefeningen. We moesten onze armen ronddraaien, even in de beugels staan en weer gaan zitten en ons in het zadel helemaal omdraaien. Dat laatste had ik nog nooit gedaan, maar het ging goed. Sunny trok zich er niets van aan wat ik allemaal aan het doen was op zijn rug. Myrthe zat voor mij. Omdraaien durfde ze niet. Haar moeder was opgedoken aan de kant van de tribune. Ze stond bij het schot.

'Doe je beugels maar uit,' hoorde ik haar tegen haar dochter zeggen toen die langs haar stapte. 'Als je je aan het zadel vasthoudt, aan de voor- en de achterkant, kun jij het ook. Kijk maar naar hoe de anderen het doen.'

Myrthe deed haar beugels uit, verder kwam ze niet.

Frank liet ons van hand veranderen en we moesten nog een keer omdraaien in het zadel.

'Myrthe, probeer jij maar één hand los te laten,' zei hij.

Na de oefening gingen we draven, van hand veranderen en op de grote volte bij A. Daar ligt de tribune. Telkens als Myrthe langsreed, zei haar moeder wat ze moest doen.

'We gaan de pony's voorbereiden op de rechtergalop!'

'Ga jij maar op het midden staan, schat!' zei Myrthes moeder.

'Mevrouw De Boer, zou u een kop thee willen gaan drinken in de foyer?' zei Frank boos. 'Ík geef hier de commando's. Galop, mars!'

Myrthe wist niet wat ze moest doen. Monami draafde steeds harder.

De moeder ging niet weg. Ze bleef met een boos gezicht bij het schot staan.

'In stap!'

Frank liep met grote passen naar het schot en zei iets tegen Myrthes moeder. Hij sprak te zacht om te kunnen horen wat hij precies zei, maar mevrouw De Boer liep weg.

'In draf, doorzitten, we blijven op de volte, aanspringen in de rechtergalop. Myrthe, neem je teugels iets korter. Goed diep zitten, juist ja! Handen iets naar buiten, binnenbeen luchtig en kijk, daar gaat hij al!'

Monami galoppeerde met de groep mee. Myrthe zat te stuiteren. Ze was echt nog een beginner.

'In stap. Van hand veranderen bij M. Grote volte bij C. We gaan de groep verdelen in tweetallen. Donna, jij bent nummer één, Alicia, jij bent dus twee, wacht even, Myrthe, ga achter Sophie rijden. Sophie jij bent nummer één en Myrthe wordt dus nummer twee en zo door.'

We moesten draven en dan telkens met twee pony's uit de rij komen, een half rondje met z'n tweeën galopperen en weer aansluiten op de volte. Het moeilijke gedeelte was om je pony uit de rij te laten komen en in galop te zetten. Vooral voor de nummers één was het lastig. Sundance begreep eerst niet wat ik van hem vroeg en rende meteen terug naar de volte, met Monami achter zich aan. Maar na twee keer proberen snapte hij het en deed hij het.

Na de les, toen ik mijn pony op stal had gezet, zag ik Myrthe met haar moeder in de stal staan. Het was vast niet de bedoeling dat ik ze hoorde, maar ik kon niet helpen dat ik verstond wat ze zeiden. Haar moeder praatte nogal hard. Myrthe huilde, zag ik.

'Je kunt het best,' zei haar moeder, 'en ik betaal voor die lessen, dus het maakt die jongeman niet uit in welke groep je rijdt.'

'Hij is onze instructeur!' protesteerde Myrthe.

'Eerst was Tineke jouw instructeur en zij zei dat het mocht. Klaar uit.'

'Pardon,' mompelde ik, terwijl ik langs hen liep.

Myrthe werd rood, maar ik geloof dat die moeder me niet eens had gezien.

'Ik ga met meneer Rozendaal praten,' zei ze.

Ik liep snel weg. Ik zou niet graag meneer Rozendaal zijn. Die krijgt alleen maar nare verhalen te horen. Nooit iets leuks. En ik zie hem ook nooit bij de paarden.

Hélène

'Je raadt nooit wat er gaat gebeuren,' zei mijn moeder aan tafel.

'Nee,' zei ik. Ze is gek op dat soort raadseltjes en ik vind er niks aan. Want ze gaan altijd over mensen die ik bijna niet ken, vriendinnen van haar of mensen van haar werk.

'Het gaat over verhuizen,' hielp mijn moeder me op weg.

'We gaan naar Mallorca verhuizen,' raadde ik.

'Nee, maar het heeft er een klein beetje mee te maken.'

'Vertel het toch gewoon,' mopperde mijn vader.

Mijn moeder keek hem nijdig aan, maar ze deed toch wat hij zei.

'Hélène komt hier in de stad wonen.'

Ik legde mijn bestek neer.

'Waarom?' vroeg ik verbaasd. 'Ze studeert toch in Groningen?'

'Ze deed een managementopleiding,' verbeterde mijn moeder me, 'maar daar is ze mee klaar en ze kan hier werk krijgen.'

'En Laurens dan?' vroeg ik ongerust. Ik moet er niet aan denken dat mijn broer elk weekend naar ons toe komt. Of erger nog: dat hij ook hierheen verhuist. Hij is ook bijna klaar met zijn studie.

'Hij zal nog wel een paar maanden in Groningen moeten blijven, maar dan komt hij vast ook hier wonen,' zei mijn vader. Ik kreunde.

Mijn ouders hoorden het niet. Ze waren alweer met elkaar aan het praten.

Onderweg naar school dacht ik aan mijn broers. Philippe komt bijna nooit thuis. Hem mis ik wel. Laurens niet. Die denkt altijd dat hij zijn kleine zusje leuk aan het plagen is, maar ik vind zijn grapjes flauw. Hij is gewoon een botterik. En hij vraagt nooit, echt helemaal nooit, hoe het met me gaat. Nou ja, dat doen mijn ouders eigenlijk ook niet.

Chelly was er al toen ik de hal in kwam. Ze stond met Amira te praten.

'Ik wil ook een keer mee,' zei Amira.

'Ik zei dat ik misschien nog eens mee mag naar Sunny,' zei Chelly.

Ik knikte.

'Neem je mij dan ook mee?' vroeg Amira.

'Goed. Zeg maar welke zondag je kunt.'

'Mag ik er dan ook even op?'

Ik wilde eigenlijk nee zeggen. Ik vond dat ze moest wachten tot ik het uit mezelf aanbood.

'Kun je rijden?' vroeg ik.

'Ik heb wel eens op een paard gezeten,' zei Amira, 'mijn tante heeft er een.'

'Waar staat die?'

'O, ergens in Drenthe. Ik kom er haast nooit.'

De zoemer ging, we moesten naar het lokaal waar we Engels hadden. Ik had geen ja en geen nee gezegd. Daar was ik blij om. Ik weet niet of ik Amira wel mag. Als we in de pauze op school staan te praten, vind ik haar wel leuk. Maar er is ook iets in haar wat maakt dat ik haar niet vertrouw. Ik weet alleen niet wat.

In de les kreeg ik een berichtje. Je mag je telefoon niet aan hebben staan op school, maar ik voelde hem trillen en keek stiekem toen de leraar niet oplette. Het was van Eliza.

RIJ JIJ STRAKS?

Ik hield mijn telefoon onder de tafel en tikte snel: JA.

Ik durfde niet meer te typen, want als een leraar je betrapt, ben je je telefoon de hele week kwijt.

Het was woensdag. Nog een lesuur voor de kleine pauze, dan nog twee erna. De tijd ging langzaam.

'Kan ik vanmiddag niet met je mee?' vroeg Amira toen we naar het lokaal voor wiskunde gingen. Het was het laatste lesuur.

'Nee,' zei ik, 'dan zit ik in een groep. Daar heb je niks aan. Of je moet het leuk vinden om alleen te kijken. Kom maar een keer op zondag.'

'Ik kan hem toch droogstappen?'

Ik schudde beslist mijn hoofd.

'Direct na ons begint een andere les. Het is veel te lastig als wij moeten wisselen. Je moet een cap op, de beugels moeten korter.'

'Jammer,' zei Amira teleurgesteld. Ik ergerde me. Het leek net of ik haar iets afpakte. Maar ineens dook Chelly naast ons op.

'Hé, zeur niet zo,' zei ze tegen Amira, 'misschien kunnen we zondag wel mee. Als Sophie dat leuk vindt. Want ze wil ook wel eens rustig zelf rijden, zonder dat er een rij mensen staat te wachten die allemaal op haar pony willen.'

Ik keek haar dankbaar aan.

'We spreken vrijdag wel iets af,' beloofde ik, 'dan weten we ook of het weer goed is. Want als het regent, rij ik binnen. En daar is geen ruimte om leuke dingen te doen.'

Ik had brood meegenomen naar de manege. Ik had net een grote hap genomen en liep met mijn mond vol brood-met-pindakaas de stal in, toen ik iemand bij de box van Sundance zag staan. Ik verslikte me bijna. Het was Hélène!

'Wat doe jij hier?' wilde ik zeggen. Het klonk als mum-mummum, maar ze begreep me.

'Ik heb een afspraak,' zei ze geheimzinnig.

'Met wie?'

'Met de eigenaresse van dat mooie paard.'

'Moonlight?' vroeg ik ongelovig.

Hélène knikte.

'Ze zoekt iemand die haar paard voor haar kan rijden wanneer zij geen tijd heeft.'

'Maar dat doet Senna toch al?'

'Is dat het stalmeisje? Die heeft ze dan niet meer nodig.'

Ik voelde dat ik rood werd van woede.

'Dat is Senna's wérk! Daar verdient ze haar geld mee.'

'Nu niet meer,' zei Hélène onverschillig.

'Nou, dat is lekker dan!' zei ik boos. 'Hoe zou jij het vinden als iemand jou je baan afpakte?'

'Ik pak haar niks af. Maura wil wat meer vrije tijd. Nu moet ze betalen om dat stalmeisje te laten rijden. Als ik Moonlight voor de helft van de week rij, krijgt Maura geld. Dat is niet zo'n moeilijke keus, toch?'

Hélène lachte en wandelde weg. Ik kon haar wel schoppen. Ze heeft geen hart. Net goed dat ze met die gluiperd van een broer van mij is. Dan krijgt ze in elk geval een rotleven.

Sundance leek te voelen dat ik kwaad was. Hij hapte naar me toen ik hem zijn halster om wilde doen. Ik schrok niet eens van hem, zo chagrijnig was ik.

'Stilstaan!' commandeerde ik. Het gekke was dat hij het deed. Meteen had ik spijt van mijn boze woorden.

Ik haalde diep adem en probeerde mezelf rustig te maken.

'Sorry, Sunny,' mompelde ik, 'maar ik ben woedend op dat kreng, die Heleen.'

'Ze heet anders Hélène,' liet ik Sunny terugzeggen, 'ze is van chique huize, hoor.'

'Ik vind het niet zo chique om Senna d'r baantje af te pakken.'

'Dat heeft ze toch niet expres gedaan?'

Ik ging rechtop staan.

'Nee,' zei ik aarzelend, 'ze is echt verliefd op Moonlight. Dat was ze meteen toen ze hem zondag zag. Misschien ben ik kwaad omdat ze er helemaal niet bij stilstaat wat het voor Senna betekent.'

'Al die rijke mensen denken alleen aan zichzelf,' zei Sunny. 'Ik ben toch ook rijk?'

'Nee, jij zit nog op school. Dat telt niet.'

Ik nam mijn pony mee de box uit en zette hem vast. Toen ging ik schuin voor hem staan en keek hem aan.

'Ik beloof je,' zei ik, 'dat ik nooit zo'n kouwe vis word als die Hélène.' Ik sprak haar naam overdreven netjes uit, met langgerekte klinkers.

'Hoi!' klonk het bij de ingang van de stalgang.

Ik keek op. Het was Eliza. Ze kwam op haar krukken naar ons toe.

'Die vriendin van je broer is er,' zei ze, 'wist je dat?'

Ik knikte en trok een scheef gezicht. Eliza lachte.

'Mag je haar niet?'

Ik haalde mijn schouders op. 'Soms.'

'Ze is helemaal weg van Moonlight.'

Ik wilde liever niet uitleggen wat Hélènes bevlieging voor Senna betekende.

'Ik haal mijn poetsspullen,' zei ik.

'Zal ik helpen?' bood Eliza aan.

'Hartstikke leuk.'

Samen poetsten en zadelden we Sundance. Toen ging Eliza naar de foyer om naar de les te kijken.

Paardrij-theorie

Meneer Vincent stond in zijn vaste hoek van de rijbaan. Hij wil altijd dat je goed de hoeken door rijdt. Dat is moeilijk, want de hoefslag is door alle paarden en pony's uitgesleten.

Hij zette pionnen in de hoeken neer. Daar moesten we achterlangs zien te komen. Sunny vond ze eerst eng en durfde de hoek waar meneer Vincent stond al helemaal niet in, maar na een paar keer lukte het me.

'Daar gaat het om,' legde meneer Vincent uit, 'dat je je pony kunt sturen en dat hij niet zomaar door de rijbaan dendert.'

'Ik begrijp het niet,' zei ik, 'we sturen toch de hele tijd?'

'In stap!' commandeerde meneer Vincent. 'Ik zal het beter uitleggen. Bij elke hoek zwaait je pony zijn achterbeen een stukje uit en laat zich dan naar binnen vallen om de bocht met zomin mogelijk inspanning door te komen. Als je nu ervoor zorgt dat hij gewoon rechtuit blijft gaan, zonder knellen en duwen met je binnenbeen, dus gewoon rechtuit blijven rijden, dan komt hij die hoek tegen en buigt zich spontaan op de goede manier in. Dat wil je! Zo geef je je pony in elke hoek gymnastiek.'

Eigenlijk begreep ik het nog niet precies. Meneer Vincent zag het, geloof ik, want hij zei: 'Het enige wat je dus hoeft te doen, is ervoor zorgen dat je pony zijn buitenachterbeen, het been dat het dichtst bij de muur zit, niet kan uitzwaaien. Dat doe je dus met jouw buitenbeen, het mensenbeen dat het dichtst bij de muur zit.'

Ik probeerde te voelen of Sundance naar mijn been luisterde, maar ik kon mijn aandacht er niet bij houden. Paardrijden en nadenken gaat niet zo goed samen. De pionnen werden weer opgeborgen en we gingen galopperen.

'Afwenden als je te dicht op je voorganger komt!' riep meneer Vincent. Dat was precies wat ik wilde. Cupido ging net iets langzamer dan Sundance en ik wilde oversteken naar de andere lange zijde, maar het meisje op Toby reed op de binnenhoefslag, het denkbeeldige pad naast de hoefslag. Als ik zou afwenden, reed ik tegen haar op.

'Meisje op Toby, Noortje, ga eens van die binnenhoefslag af, je hindert andere ruiters!' Ik keek meneer Vincent dankbaar aan. Hij knipoogde. Noortje wendde eerst af en toen kon ik.

'In stap, lange teugel!'

Gingen de lesuren op school maar zo vlug om, dacht ik, terwijl ik Sunny door zijn manen streelde. Hij brieste tevreden. We stapten langs de ruit van de foyer en daar zag ik Eliza en Hélène. Ze hadden zitten kijken. Eliza zwaaide enthousiast en Hélène stak haar duim op. Nu was ze weer aardig.

Ze kwam niet naar de stal. Eliza wel.

'Ik moet gauw naar huis,' zei ze, 'mijn zus mag niet alleen thuis zijn en mijn moeder komt pas om zes uur uit haar werk.'

Toen ik Sunny had verzorgd en in zijn box had gezet, ging ik naar de foyer. Ik kon moeilijk zonder iets tegen Hélène te zeggen naar huis gaan. Ze zat op me te wachten.

'Wil je iets drinken?' vroeg ze.

'Ik wil wel thee.'

Ze stond op om te bestellen. Maura zat aan de bar met Netty te praten.

Ze keek wel even naar Hélène, maar ze zei niets. Hélène glimlachte vaag.

Eigenlijk was het gek dat Maura niet bij Hélène aan het tafeltje zat. Als ik net met iemand had afgesproken dat ze de helft van de week op mijn pony mag rijden, zou ik willen weten wat voor iemand dat was. Ze hadden misschien al een uur zitten kletsen, maar zo gauw ben je niet uitgepraat over paarden. En ik had zomaar het gevoel dat Maura en Hélène geen vriendinnen gingen worden. Maura is een zeurpiet en Hélène heeft geen geduld. En ze zijn geen van beiden aardig.

Maar mensen die een paard delen, hoeven elkaar eigenlijk nooit te zien. Als de een er is, hoeft de ander niet te komen.

Met Senna en mij gaat dat heel anders. Ik vind het altijd fijn als we samen voor Sunny zorgen. Dan stel ik alle vragen die ik heb, over Sunny, over andere pony's, over paardrijden. Als we het daar over hebben, is Senna niet kortaf. Ze wil alleen liever niet over mensen praten en al helemaal niet over haar eigen familie. Ze heeft het thuis niet zo leuk, denk ik. Haar vader is soms dronken en haar twee broertjes zijn heel druk. Haar moeder is wel lief. Ik ben één keer bij haar thuis geweest.

'Gaat het eigenlijk wel door?' vroeg ik aan Hélène toen ze terugkwam met twee koppen thee.

'Gaat wat door?'

'Ga jij Moonlight rijden voor die mevrouw?' Ik wilde haar naam niet noemen.

'Voor Maura? Ja.'

'O.'

'Hoezo, gaat het door?' vroeg Hélène verbaasd.

'Omdat zij dáár zit en jij hier,' zei ik.

Hélène schoot in de lach. 'We gaan een paard delen, we gaan niet trouwen!'

Ik hield beledigd mijn mond. Zij snapt niets van mij.

'Je reed trouwens netjes,' zei Hélène.

'Dank je wel,' antwoordde ik beleefd.

We zwegen even.

'Wanneer ga je beginnen?' vroeg ik.

'Zodra ik ben verhuisd. Over drie weken. En komende zondag misschien ook.'

Senna zou dus nog drie weken de tijd hebben om wat anders te zoeken om geld mee te verdienen. Ze heeft natuurlijk ook nog de supermarkt waar ze werkt. Maar dat vindt ze vreselijk.

'Ik moet zo naar huis,' zei ik tegen Hélène.

'Nu al? Ik dacht dat je altijd de hele middag hier rondhing.'

'Ik heb huiswerk.'

'Ik ga straks op Moonlight rijden. Wil je dat niet zien?' vroeg ze. Haar mondhoeken wezen naar beneden. Dat is het gezicht dat ze trekt als ze ontevreden is. Ik kon misschien wel wat langer blijven. Ik was ook nieuwsgierig hoe ze reed.

'Oké,' zei ik, 'ik wacht wel.'

'Wil jij hem voor me poetsen?'

Ik aarzelde. Probeerde ze me nu als dienstmeid te gebruiken? Maar het leek me wel erg leuk om Moonlight even voor mezelf te hebben.

'Oké,' zei ik weer, 'heb je de sleutel van de kast?'

'Het is een cijferslot.' Ze noemde de cijfers. Ik draaide me om naar Maura en zag dat ze naar ons keek.

'Loop even mee naar beneden en maak het kastje voor me open,' zei ik, 'dat lijkt me beter.'

'Hoezo?'

'Ik denk niet dat Maura het prettig vindt als ik haar cijfercode ken.'

'Die weet je nu toch al.'

'Nee, ik heb niet goed geluisterd.'

Het was niet waar: 1754. Maar Maura is slordig en laat haar portemonnee in haar kast liggen. Straks is ze weer geld kwijt of denkt ze dat ze geld kwijt is of spullen. Dan gaat ze vast mij aanwijzen als dader, want ze mag me niet.

Hélène stond met tegenzin op en liep mee naar de zadelkamer. Ze maakte de kast open en ging meteen terug naar de foyer.

Zij begrijpt mij niet maar ik begrijp haar nog minder. Hoe

kon ze Moonlight leren kennen als ze hem niet zelf poetste?

Ik pakte de poetsdoos en ging naar de box van Moonlight. Hij kwam meteen naar me toe en snuffelde aandachtig aan me. Ik had geen wortels meer, maar misschien deed hij het daar niet om. Toen hij uitgesnuffeld was, begon ik met zijn hoeven. Hij gaf braaf zijn voeten, een voor een, en terwijl ik poetste bleef hij doodstil staan. Hij vond het leuk, want toen ik bij zijn manen borstelde, stak hij zijn lippen naar voren in een punt. Dat doen pony's en paarden als ze genieten.

'Jij bent lief,' zei ik, 'een heel lief paard, met twee onaardige bazinnen.'

Ik probeerde een antwoord te verzinnen dat Moonlight zou geven, maar met hem kon ik het niet. Daarom praatte ik zelf maar tegen hem:

'Misschien heeft Hélène er binnenkort weer genoeg van. Dan gaat Senna weer op jou rijden. Dat is veel leuker, vind je niet?'

Moonlight brieste vriendelijk. Hij was het helemaal met me eens.

Sunny's verleden

Ik was nog maar net terug van de manage toen Lutske belde.

'Maaike is hier ook,' begon ze, 'we hebben nieuws voor je. Over Sunny.'

'Vertel!'

Ik hoorde Lutske ademhalen.

'Hij is geboren in de buurt van Meppel. Zijn moeder schijnt een Dartmoor stermerrie te zijn.'

'Wat is dat?'

'Dat betekent dat ze is gekeurd en voorop heeft gelopen als beste merrie. En zijn vader is een New Forest pony.'

'Maar wat heeft hij meegemaakt? Waar is hij opgegroeid?'

'Hij is als veulen een halfjaar bij zijn moeder gebleven. Toen is hij naar een fokker gegaan die een hele groep jonge pony's had. Het schijnt erg goed te zijn om in zo'n groep te zitten.'

'Wie vertelde dit allemaal?'

'Aaltje natuurlijk. Zij heeft Sundance uitgezocht voor je ouders.'

Ik friemelde aan mijn haar. Hoe kon het dat ik Aaltje nooit eerder iets had gevraagd? Was dat omdat ik het in die tijd te druk had met onze verhuizing naar de stad? Of had ik alleen naar het uiterlijk van mijn pony gekeken? Ik denk het laatste. Ik dacht nooit na over wat er gebeurde. Tegenwoordig wel.

'En toen?'

'Toen werd hij verkocht aan weer een andere handelsstal,' zei Lutske, 'daar is hij beleerd. Aaltje kent het meisje dat hem zadelmak heeft gemaakt. Het is een vriendin van haar. Hij is dus hartstikke goed opgevoed.'

'Is hij nog van iemand anders geweest?'

'Ja, want hij is nu toch zeven? Hij heeft drie jaar bij mensen gestaan die kinderen hadden. Het oudste meisje reed op hem tot ze zestien was. Toen wilde ze niet meer rijden.'

Ik hoorde Maaike wat zeggen.

'O ja!' zei Lutske. 'De zusjes van dat meisje speelden altijd in zijn stal. Die klommen altijd op zijn rug. Dat is hij dus gewend.'

'En dat hij zo lief is voor beginners?'

Ik vond het waanzinnig spannend om al die dingen die ik niet wist over mijn pony te horen.

'Volgens Aaltje is dat niet echt iets bijzonders. Veel paarden en pony's vinden het best als iemand alleen maar een eindje meelift. Volgens haar hebben ze veel meer last van een ruiter die zit te wringen en te schoppen om een pony te laten luisteren.'

'Ik vind het toch braaf dat Sunny alles maar toelaat,' zei ik, 'zelfs dat Eliza met haar stijve been op hem kon.'

'Zij is leuk, hè?'

'Ze was er vanmiddag.'

'Mag ze weer rijden?'

'Nee, ze kwam naar Sunny en mij kijken.'

Maaike zei weer wat.

'Ja, oké,' zei Lutske tegen haar en tegen mij: 'Maaike wil jou ook nog even spreken.'

'Zij praat almaar door,' klaagde Maaike. Ik schoot in de lach.

'Was Eliza er?' vroeg Maaike.

'Ja. En weet je wie nog meer? Hélène!'

Ik vertelde Maaike wat Hélène had gezegd en hoe ze deed.

'Dat is niet leuk voor Senna,' zei Maaike, 'zij reed toch op Moonlight als die vrouw niet kon?'

Ik wilde antwoord geven, maar ik hoorde de voordeur. Mijn moeder kwam thuis. Er was nog iemand, er klonken stemmen.

'Sophie!'

'Ik moet ophangen!'

'Maar misschien geeft het niet,' zei Maaike nog snel. 'Senna komt dit weekend bij ons in de manege werken. En misschien heeft Aaltje nog meer werk voor haar.'

'Dat zou fantastisch zijn,' zei ik blij.

Mijn moeder stak haar hoofd om de hoek van mijn kamer. 'Hoor je me niet?'

Ik nam gauw afscheid van Maaike en hing op.

'Ik was aan de telefoon.'

'Hélène is hier,' zei mijn moeder, 'kom je zo ook?'

'Met Laurens?'

Mijn moeder trok een geërgerd gezicht en deed de deur dicht.

Ik keek in mijn agenda. Ik had Frans huiswerk dat ik wilde maken en een werkstuk voor geschiedenis. Ik kon het beste heel even naar de woonkamer gaan en dan maken dat ik wegkwam.

Laurens zat in een van de leunstoelen met een kop thee in zijn handen. Hélène zat op de bank in haar rijkleren. Mijn moeder schonk voor haar ook thee in en daarna voor zichzelf.

'Wat wil jij?' vroeg ze. Ik zag dat ze vergeten was een kopje voor mij te pakken.

'Thee,' zei ik.

'Sorry schat, haal maar even een beker.'

Ik was weer drie jaar en mocht niet uit een kopje drinken. Ik liep naar de kast waar het nette theeservies staat en pakte een kop. Geen schoteltje.

'Hè, Sophie,' begon mijn moeder.

'Je zat er netjes op,' zei ik tegen Hélène.

'Ja, vond je?' vroeg ze.

'Je moet nog wennen aan zijn beweging,' zei ik, 'hij gooit hoog op.'

'Hou op met hinniken,' zei mijn broer.

'Goed,' zei ik, ik pakte mijn kopje op en ging de kamer uit. Ik had niet kunnen denken dat ik zo snel van de visite af zou zijn.

Ik ging aan mijn bureau zitten en sloeg het geschiedenisboek open. We waren inmiddels in de zestiende eeuw. Ik gaapte en telde de bladzijden die we moesten lezen. 'Hup,' zei ik tegen mezelf, 'beginnen!'

Tegen de tijd dat mijn moeder riep dat ik aan tafel moest komen, was ik klaar met het huiswerk.

We aten pasta met pesto en sla. Hélène zat naast me.

'Hij gooit inderdaad hoog op,' zei ze, alsof er niet twee uren tussen zaten.

'Vaak heeft zo'n paard dan juist een lekkere galop,' zei ik. Hélène keek me bewonderend aan.

'Ja!' zei ze verrast.

'Senna zegt dat,' zei ik. Bij de naam Senna trok Hélène haar mondhoeken weer naar beneden. Ze zit er dus toch wel een beetje mee dat ze Senna's werk heeft afgepakt.

'Rij je zondag?' vroeg ik.

'Néé!' zei mijn broer boos.

'Hoezo?' vroeg Hélène, zonder op hem te letten.

'Er komen een paar vriendinnen langs op de manege, net als vorige week. Ik kan wel wat hulp gebruiken.'

'Is Senna er niet?'

'Nee.'

'Ik vind dat we wel genoeg over paarden hebben gepraat,' zei mijn moeder. Ik had gehoopt dat Hélène zich ook niks van mijn moeder aan zou trekken, maar ze keerde zich naar mijn broer en streelde zijn arm.

'Wat had jij voor plannen?' vroeg ze met een gemaakte glimlach. Ze is een valse meid, ik kon zien dat ze toch ging doen waar ze zelf zin in heeft.

Amira

Ik had er de hele tijd tegen opgezien om aan Senna te vertellen dat Hélène Moonlight had ingepikt. Maar ze reageerde niet eens zo boos.

'Ik ga Aaltje zaterdag en zondag helpen met een ponykennismakingsweekend,' zei ze, 'dat betaalt beter en het is tien keer zo leuk.'

'En Moonlight dan?' vroeg ik. 'Je zou hem toch nog drie weken doen?'

'Je schoonzus wil dit weekend rijden.'

Ik keek haar scherp aan, haar gezicht was hard. Ik denk dat ze het heel erg vindt dat ze opzij is gezet en dat ze gek is op Moonlight. Maar zo is Senna. Ze laat nooit merken wat ze voelt.

Ik kneep in haar arm.

'Ben je er straks nog, na de les?'

'Nee,' zei ze, 'ik ga direct door.'

'Slaap je bij Maaike?'

Ze schudde haar hoofd.

'Ik krijg een eigen kamer op de manege. Aaltje heeft ruimte gemaakt.'

Ze legde uit welke kamer het was. Haar ogen straalden, ze leek ineens een heel ander meisje.

'Ik mag daar misschien wel vaker logeren,' zei ze. 'Als ik hier niet hoef te werken en als ik van school kom, kan ik daar in de buurt naar het mbo voor paardenhouderij.'

'Fijn!' Ik was hartstikke blij voor haar.

'Sundance krijgt zondag weer visite,' vertelde ik.

Ze keek meteen zorgelijk.

'Wie?'

'Chelly en nog iemand van school. En misschien komt Eliza weer.'

Senna aarzelde.

'Laat Eliza er maar niet op,' zei ze, 'als er iets gebeurt, krijg jij de schuld.'

'Maar vorige keer ging het ook goed.'

'Doe maar niet,' zei Senna.

Op zondagochtend was ik tegelijk met Hélène in de keuken. Ze had met Laurens bij ons gelogeerd. Hij lag nog in bed, denk ik. Ik was benieuwd of ze ruzie hadden gemaakt. Hij had eigenlijk met haar willen gaan fietsen, maar zij wilde liever naar Moonlight. Dat begreep ik best.

Ik had theegezet, maar Hélène wuifde mijn aanbod weg.

'Ik wil koffie,' zei ze.

Ze ging met haar kopje aan de keukentafel zitten. Ik stond tegen het aanrecht geleund en keek naar de klok.

'Wil je straks met mij meerijden?' bood ze aan.

'Ik neem de fiets.'

'Wat je wilt.' Ik had haar vast beledigd.

'Er komen twee vriendinnen. Dat ene meisje dat je al ge-zien hebt en nog een van school.'

'Hoe laat komen ze?'

'Halfelf. Ik rij eerst zelf.'

'Zal ik je daarna helpen? Of kunnen zij rijden?'

'Misschien is het wel fijn als je helpt. Dat andere meisje zegt dat ze kan rijden, maar ik denk dat ze niet zo goed is als ze zelf denkt.'

'Hoe lang rijdt ze al?'

'Ze heeft een tante met een paard, daar heeft ze wel eens op gezeten.'

'Die denkt alleen dat ze wat kan,' zei Hélène beslist. 'En rij nou maar met mij mee, want we zijn toch tegelijk klaar.'

Er waren niet veel mensen op stal, alleen een weekendstal-hulp en twee mevrouwen die een eigen paard hebben.

Het was mooi weer. De zon scheen en het waaide bijna niet.

'Zullen we buiten poetsen?' stelde ik voor. Hélène keek me vragend aan.

'We zetten ze bij de spuitplaats. Daar zijn ringen waar we ze aan vast kunnen zetten. Er passen twee paarden naast el-kaar. We halen Moonlight samen op, dan laat ik zien waar het is.'

'Ik weet waar de spuitplaats is,' zei Hélène.

'Nou, dan zie ik je daar,' zei ik en ik liep weg.

Ik ging eerst naar Sunny om hem wat lekkers te geven. Toen haalde ik het halster en de poetsspullen.

Hélène kwam aangewandeld met Moonlight en maakte hem aan een van de ringen vast. Ik zette Sundance ernaast. Ze legden allebei even hun oren plat, maar verder deden ze niet lelijk tegen elkaar.

We poetsten zonder iets tegen elkaar te zeggen. Eigenlijk was ik nieuwsgierig hoe ze het nu met Laurens had geregeld. Misschien ging hij in zijn eentje fietsen.

'Ik heb wel spierpijn gehad,' zei Hélène plotseling, 'vooral op de tweede dag.'

'Dan is het altijd het ergst.'

'Jij krijgt toch zeker geen spierpijn meer?'

'Niet als ik een paar keer per week rij. Maar na de zomer-vakantie wel.'

'Mensen zeggen altijd dat paardrijden geen sport is,' mop-perde Hélène, 'dat het paard al het werk doet. Maar zo is het helemaal niet.'

Ik ging rechtop staan en leunde op Sunny's rug.

'Ja, gek hè?' zei ik. 'Terwijl je je juist zo veel mogelijk pro-beert te ontspannen, krijg je toch spierpijn.'

'Het komt doordat het veel kracht kost om in evenwicht te

blijven,' antwoordde Hélène, 'bij elke stap gooit een paard je een beetje uit balans.'

Ik knikte.

We zadelden Sundance en Moonlight en gingen de buitenrijbaan in. Het was wel bewolkt maar het ging zo te zien nog niet regenen. En een paar druppeltjes zijn niet erg.

We begonnen allebei in stap. Daarna zette ik Sundance in een rustig drafje.

Hélène liet Moonlight meteen galopperen. Ze zag dat ik naar haar keek.

'De galop is een prima gang om in los te werken, hoor,' zei ze, 'en ik heb geen zin om me door hem in draf door elkaar te laten schudden.'

Ik zei niets terug. Ik vond dat ze zelf maar moest weten hoe ze Moonlight aanpakt. Ik maakte een paar voltes en een paar keer een gebroken lijn, schuin van de hoefslag naar het midden van de manege en weer schuin terug naar de hoefslag. Toen veranderde ik van hand.

Hélène stak ook de rijbaan over en galoppeerde meteen weer aan.

Ik liet Sundance op de andere hand ook nog wat figuren rijden en wilde net in galop gaan, toen ik zijn rug voelde verstrakken. Ik ging naar de stap en keek om me heen of er iets was waar hij misschien bang voor was. En toen zag ik haar: Tineke.

Ze stond aan de zijkant van de rijbaan en keek naar ons. Hélène had niets in de gaten, die had Tineke nooit eerder gezien, maar ik maakte me zorgen. Waarom was ze hier? Was meneer Rozendaal misschien op kantoor en had ze een afspraak met hem? Maar op de parkeerplaats stonden geen auto's toen wij aankwamen en voor zover ik wist was hij er nu ook niet. Zou Tineke de manege missen?

Zodra ze zag dat ik naar haar keek, draaide ze zich om en wandelde weg, in de richting van de stallen. Iets zei me dat ze wat van plan was.

Ik wist zo gauw niet wat ik moest doen. Ik kon afstappen en naar de zadelkamer rennen. Maar waar moest ik Sundance dan laten? En wat kon ik doen? Misschien was Tineke hier om een goede reden. Ik wilde Hélène ook niet ongerust maken en het zou trouwens raar klinken als ik haar waarschuwde voor iemand van wie ze niets wist. Tegen de tijd dat ik had uitgelegd waar ik me zorgen om maakte, zou Tineke allang iets hebben kunnen stelen.

Zenuwachtig keek ik om me heen. Was Senna er maar. Of een van de meiden, Chelly of Amira. Maar die zouden pas om halfelf komen.

Op dat moment zag ik Eliza. Ze kwam glimlachend naar het hek, leunend op haar krukken.

Ik stuurde Sundance naar de omheining. 'Hoefslag!' riep ik naar Hélène. Ik wist niet zeker of ze wist wat het betekende: dat ze de hoefslag even vrij moest laten voor mij.

'Eliza, wat goed dat je er bent! Hou Sunny een momentje voor mij vast, wil je?' vroeg ik dringend. Ze deed het hek open. Ik voelde Sunny verstrakken.

'Leg je krukken neer, hij schrikt.'

'Dan kan ik niet lopen, alleen hinkelen, dat vindt-ie nog veel enger.'

Ik liet me uit het zadel glijden en nam Sunny mee.

Eliza liet Sunny aan de linkerkruk ruiken en legde hem toen heel voorzichtig op de grond. De rechterkruk hield ze bij zich. Toen nam ze de teugels van me over.

'Wat is er?' vroeg ze, 'moet je plassen?'

Ik schoot in de lach.

'Nee,' zei ik, 'ik vertel het straks wel.'

Zo snel als ik kon, spurtte ik het terrein over, naar de stallen. Daar ging ik langzaam lopen en probeerde gewoon te ademen, alsof ik niet gespannen was en niet had gerend. Ik ging op mijn tenen de zadelkamer in en daar stond Tineke. Ze schrok van me. De kast van Maura was open. Ik groette niet. Zij ook niet, maar ze keek wel naar me. Ik deed net of ik iets in mijn eigen kastje zocht en pakte de longe. Ik liet hem uitrollen en vouwde hem op mijn gemak weer op. Tineke kuchte.

'Zoek je iets?' vroeg ik met de stem van mijn moeder.

Ze gaf geen antwoord. Ik dacht snel na. Als Tineke iets gepikt had uit het kastje van Maura, wist ze dat ik haar had gezien. Ik liet mijn hand in mijn bodywarmer glijden en haalde mijn telefoon tevoorschijn. Ik deed net of ik een bericht las, maar tikte de videofunctie aan. Ik richtte mijn camera op Tineke. Die vluchtte de zadelkamer uit. Ik keek of ik een filmpje had. Je zag Tineke schrikken. Ik moest terug. Voor ik de zadelkamer uit ging maakte ik Maura's kast dicht en nam mijn longe mee.

Tineke stond bij de manegepony's. Het leek of ze ergens op wachtte. Terwijl ik voorbijliep, hoorde ik haar fluisteren: 'Rotkind!'

En ineens werd ik woedend. Dat heb ik soms. Dan komt er een soort golf in me op en ben ik nergens meer bang voor en hou ik met niks en niemand nog rekening. Ik draaide me bliksemsnel naar haar om en stapte op haar af.

'Wat zei je?' vroeg ik met een lage stem.

Ze gebruikte een nog lelijker scheldwoord.

Ik haalde diep adem en zei: 'Je denkt dat ik niet durf te zeggen dat je steelt. Maar ik heb het al verteld, aan je oom, aan de instructeurs, aan Senna en aan Janine. Tot nu toe hebben ze er geen politie bijgehaald. Maar als ik deze keer zeg wat ik heb gezien, heb ik bewijs dat je in dat kastje stond te rommelen. Ik heb je gefilmd. En denk vooral niet dat je met een klein kind te maken hebt!'

Ik wist zelf niet waar ik het vandaan haalde. Ik was razend om wat ze Senna had aangedaan, om de nare sfeer die ze in de manege had gebracht en om allerlei dingen die ik zelf niet begreep.

Tineke zei niets terug. Ik zag dat ze wit werd. Haar handen trilden. Ineens draaide ze zich om.

'Rotkind!' schold ze nog een keer en toen maakte ze dat ze wegkwam.

Ik bleef nog even staan. Mijn handen beefden net zo erg als die van haar, maar de boosheid was weg. Het was of er een grote, kalme zee in me rondgolfde.

Zou ze nou iets meegenomen hebben uit het kastje? vroeg ik me af terwijl ik naar buiten liep. Maar het deed er niet toe. Als ze al iets had, zou ze het deze keer ergens terugleggen, dat wist ik zeker. En ze zou niet gauw proberen nog eens wat te jatten.

Bij de buitenrijbaan was het inmiddels druk. Om Sundance heen stonden Eliza, Chelly en Amira. Hélène was aan het droogstappen.

Moest ik iets tegen haar zeggen? Ik besloot mijn mond te houden. Hélène is pas tweeëntwintig of zoiets, maar ze is toch geen kind. En als volwassenen zich ergens mee gaan bemoeien, slepen ze je in allerlei dingen mee waar je niet om gevraagd hebt. Ik zag me al achter Hélène aan sloffen naar de politie om aangifte te doen, of naar meneer Rozendaal. Met hem had ik trouwens al een keer geprobeerd te praten en dat werd niks.

Nee, ik zou niets zeggen, in elk geval niet nu. Misschien later een keer, tegen Lutske en Maaike of tegen Senna.

'Waar was je?' vroeg Chelly. Ik legde een vinger tegen mijn lippen.

'Straks,' zei ik zacht.

'Mag ik erop?' vroeg Amira.

'Straks,' herhaalde ik, maar nu hardop en een beetje streng.

Ik rolde de longe een eindje uit en maakte de haak aan Sunny's bit vast.

Hélène kwam naar ons toe.

'Als je heel even wacht, zet ik Moonlight op stal. Dan kom ik helpen.'

'Je kast stond open. Ik heb hem dichtgedaan,' zei ik.

'Hoezo?'

'Er is al eens iets uit die kast verdwenen.'

'Oké.'

'Wij beginnen vast. Ik wacht met longeren tot jij er bent.'

Ik hield Sunny bij me en draaide me om naar Chelly.

'Chelly, durf je?'

Ze aarzelde.

Ik twijfelde of ik Amira kon vragen te helpen. Ik had geen idee van wat ze wel of niet kon. Eliza dan maar.

'Eliza, denk je dat je hierheen kunt komen?'

Ze deed het zo rustig dat Sundance niet schrok.

'Chelly, kom maar.'

Ik maakte de beugelriem aan de linkerkant een paar gaatjes langer en liet haar zien hoe ze moest opstijgen.

'Ga met je rug naar zijn achterhand staan.'

'Hand?'

'Zijn kont. Die noemen we de achterhand.'

Ze deed wat ik zei. Ik kon zien dat ze het eng vond, ze beet op haar onderlip.

'Nu zet je je linkervoet in de beugel en zet je je met je rechtervoet af. Net als de vorige keer.'

Ze lachte.

'O ja, die jongensfiets. Maar een fiets kan me niet trappen.'

'Sunny trapt jou ook niet.'

Hij bleef inderdaad voorbeeldig staan. Chelly klom in het zadel en boog zich voorover om hem te aaien. Ik lachte naar haar.

'Blijf maar even rustig zitten tot Hélène er is.'

Ze kwam er al aangelopen en nam Eliza's plaats in.

'Zullen we?' stelde ze voor, 'knijp maar heel zacht met je kuiten.'

Chelly tilde haar benen een stukje op en legde ze weer tegen de pony, en Hélène gaf een tongklakje, maar Sunny bleef staan.

Ik rolde de longe uit en liep een eindje naar achteren.

'Stap, Sunny!' commandeerde ik.

Gehoorzaam stapte hij naar voren. Hélène zei niets en liep naast Chelly mee, met haar hand op haar dij. Als mijn pony zou schrikken of een rare beweging maakte, kon er niets gebeuren.

'Heb je geen longeerzweep nodig?' vroeg Eliza.

'Ja, maar die ben ik vergeten.'

'Ik kan hem wel halen,' zei Hélène, 'ligt hij in je kast?'

'Ik heb geen eigen zweep. Er ligt er een bij de paddock. Haal die maar.'

We lieten Sunny halthouden en Hélène ging de rijbaan uit.

'We gaan even de andere kant uit,' zei ik. Ik liep naar mijn pony toe, maakte de haak los en deed hem aan de andere bitring.

'Amira, kom maar hier en loop met de pony mee,' commandeerde ik.

'Hoezo?'

'Dat is prettig voor Chelly.'

Amira haalde haar schouders op en kwam naar ons toe. Maar er was iets in haar houding wat Sunny niet leuk vond. Hij hief zijn hoofd hoog op en legde zijn oren plat. Ik zag dat Chelly bang werd. Ze leunde naar voren en trok haar benen op.

'Gewoon zitten, Chel!' zei ik. 'Ontspannen, Sunny doet niks.'

Maar hij deed wel wat. Toen Amira de teugel wilde pakken, maakte hij een zijsprongetje. Chelly viel bijna maar hield zich nog net vast. Ze beet op haar lip.

'Ho beest!' riep Amira, ze greep de teugel en gaf er een ruk aan.

'Ben je nou helemaal gek!' riep ik. 'Laat los!'

Ze deed wat ik zei en keek me verbaasd aan.

'Hij moet toch weten wie er de baas is?' vroeg ze. Ik zag haar hand alweer naar Sunny's teugel gaan.

'Blijf af!'

'Nou, je hoeft niet tegen me te schreeuwen.'

Ik voelde dat ik verschrikkelijk driftig werd, maar ik wilde me inhouden. Voor Chelly, voor Eliza, voor Sunny. Vooral voor Sunny. Die voelt het meteen als ik mezelf niet ben.

Ik haalde diep adem. En nog eens.

Niemand zei iets. Ik liep langzaam naar mijn pony toe en legde mijn hand op zijn manenkam. Ik voelde dat hij ontspande.

'Het is goed, Sunny,' zei ik.

'Wat jij maar goed vindt,' hoorde ik hem terugzeggen, 'ik vind dat een enge meid.'

'Stil maar,' zei ik heel zacht, 'na vandaag hoef je haar nooit meer te zien.'

'Beloof je dat?'

Ik krieuwelde door zijn manen.

'Je wilt toch niet dat Chelly bang voor je wordt?' zei ik hardop.

Ik keek hoe het met haar was.

'Hij vindt het prettiger als je rustig zit,' zei ik, 'doe maar net of je een kip bent die op een nest eieren zit.' Dat van die kip had ik niet van mezelf. Ik had het Senna een keer horen zeggen.

Chelly bewoog haar heupen en ging inderdaad lekker lui zitten. Ik voelde Sunny ontspannen.

'Dat is een goed meisje,' zei hij, 'haar vertrouw ik.'

'Ik ook,' fluisterde ik onhoorbaar en tegen Amira zei ik: 'Ga maar achter het hek staan.'

'Maar mag ik er straks nog op?'

'Als Sundance het goed vindt,' zei ik, 'anders niet.'

Ik zette Sunny in stap en Chelly hield zich vast aan de teugels. Ik keek of ze mijn pony niet in zijn mond trok, maar hij had helemaal geen last van haar.

Ik liep drie rondjes mee en Sunny was heel voorzichtig. Hélène kwam terug met de lange zweep.

'Durf je een drafje?' vroeg ik aan Chelly.

'Nee!'

Hélène haalde haar schouders op. We stapten nog een poosje, toen vond ik het welletjes. Ik liet Chelly afstappen. Ze bedankte Sunny, dat vond ik leuk.

'Zie je, zo hoort het!' liet ik hem in mijn gedachten zeggen.

Chelly huppelde naar de plek waar Eliza, Hélène en Amira stonden.

Ik keek naar Amira. Eigenlijk had ik helemaal geen zin om haar uit te nodigen om een rondje te rijden. Maar tegenover Chelly vond ik het vervelend om nu ruzie te gaan maken. En Amira is ook met haar bevriend. Ik besloot dat het maar even moest.

'Sorry, Sunny!' zei ik in gedachten. Hij hoorde me niet.

Amira had gezegd dat ze best goed kon rijden, maar aan haar kleren kon ik zien dat ze niet wist hoe het was om in het zadel te zitten. Ze had een spijkerbroek aan. Die kon gaan schuren. Maar ik was toch niet van plan haar lang te laten rijden.

'Kom maar,' wenkte ik. Ze kwam naar de plek waar ik met Sunny aan de lange lijn stond te wachten.

'Ik kan wel los,' zei ze.

Hélène was me voor: 'Helemaal niet,' zei ze. Ze stapte naar voren en keek toe hoe Amira in het zadel klom. Ze wist zo te zien wel hoe het moest, maar aan Sunny zag ik dat ze onhandig deed. Ze hield de teugels te kort, terwijl ze zichzelf met haar handen omhoog hees. Sunny legde zijn oren plat en stak zijn hoofd hoog in de lucht. Ik hield via de lange lijn contact met zijn mond, zonder te trekken.

'Laat de teugels maar even los,' zei ik.

'Maar ik weet hoe het moet,' protesteerde Amira.

'Doe wat er gezegd wordt,' zei Hélène. Ze haalde de longeerzweep op en kwam terug naar het midden.

'Zal ik haar even doen?' bood ze aan. Ik had de keus tussen twee mensen die de baas over mij en mijn pony wilden spelen. Hélène had goede bedoelingen, maar ik bleef toch liever zelf bij Sunny.

'Het lukt wel,' zei ik, 'dank je.'

Ze vond het zo te zien niet leuk, maar ze ging toch aan de kant staan. Amira nam de teugels stiekem toch op.

'Teugels los, had ik gezegd. Je mag straks wat meer,' zei ik met de strenge stem van mijn moeder, 'laat Sundance eerst een beetje aan je wennen. Kun je aandrijven?'

Amira plantte haar hielen in Sunny's flanken. Hij schoot verbaasd naar voren, maakte een draai opzij en bleef met zijn hoofd opgeheven staan. Als Amira niet ophield, lag ze er zo meteen naast. Sunny wilde bokken, ik zag het!

'Amira, je bent te ruw. Dit is een rijpony, geen trekpaard.'

'Alsof een trekpaard geen gevoel heeft,' hoorde ik Sundance in mijn gedachten zeggen.

'Oké, oké,' mompelde ik tegen hem, 'maar je wilt geen rodeocowboy op je rug en ik moet toch íéts zeggen?'

'Wat zeg je?' riep Amira.

'Dat je rechtop moet gaan zitten en je handen moet ontspannen,' antwoordde ik.

'Laat haar maar even draven,' raadde Hélène aan. Eliza schoot in de lach. Ik glimlachte ook. Hélène is echt een vals kreng. Zij zag ook wel dat Amira er niks van kon. In draf kon ze voelen dat ponyrijden niet zo eenvoudig is als ze dacht. Ik gaf een tongklakje en een kneepje in de lange lijn.

'Drrraff!' Sundance gehoorzaamde. Maar hij hield zijn rug gespannen en Amira had de grootste moeite om haar evenwicht te bewaren.

'En in stap!' commandeerde ik na drie rondjes. 'Zo, nu mag je de teugel wat opnemen. Maar we blijven in stap.'

Nu protesteerde Amira niet meer. Ze maakte de teugels korter, maar niet zo strak als eerst. Sunny stapte braaf.

'Kun je lichtrijden?'

'Wat is dat?'

'Dat je meeveert met de beweging van de pony.'

'Dat hoefde niet bij het paard van mijn tante.'

Hélène, Eliza en ik schaterden het uit. Chelly lachte voorzichtig mee.

'Lichtrijden is het eerste wat iedere ruiter leert,' legde Hélène aan Chelly uit.

Ik liet Amira nog wat stappen, toen vond ik het genoeg.

'Misschien moet je vragen of je op paardrijles mag,' zei ik, 'dan leer je draven en lichtrijden. Nu is het een beetje te moeilijk.'

'Maar Chelly mag toch ook draven?' zei Amira boos.

'Het is voor de pony te moeilijk,' zei ik, 'voor jou is het een eitje.'

Ze keek me aan om te zien of ik haar in de maling nam. Eliza, Chelly en Hélène hadden niet gehoord wat ik zei, anders hadden ze gelachen. Nu kon ik net doen of ik meende wat ik zei. Ik liet Sunny stilstaan en Amira steeg af.

'Ga jij er nu nog even op?' zei Eliza.

Ik maakte de longeerlijn los en rolde hem op.

'Geef maar,' zei Eliza. Ze vroeg niet of zij er ook nog op mocht. Daar was ik wel blij om. Ik wilde niet tegen Senna hoeven zeggen dat ik niet naar haar had geluisterd.

'Sunny, zullen we wat afspreken?' zei ik terwijl ik in draf aanging. Hij wachtte af. Toen ik aan het andere eind van de rijbaan was, zette ik hem stil en deed net of ik de singel controleerde.

'Alleen mensen die we allebei echt aardig vinden, mogen nog op jou rijden,' beloofde ik.

'Wie dan?'

'Senna natuurlijk,' somde ik op, 'en Chelly af en toe en Angèle.'

'Dat wordt al flink druk.'

'En Lutske en Maaike,' zei ik, 'die vind je toch ook aardig?'

'Niet iedereen tegelijk, ik ben jóúw pony.'

'Precies!' zei ik blij. Toen bedacht ik dat ik Eliza was vergeten op te noemen.

'Die heeft Aurora,' zei Sunny, 'en ze heeft krukken. Dat zijn enge dingen. Daar moet ze eerst maar eens vanaf.'

Ik lachte en gaf de hulpen voor de galop. Eigenlijk denk ik nooit na bij wat ik doe, binnenbeen, buitenbeen, ik denk gewoon aan galop en dan springt Sunny al aan.

We reden nog een paar rondjes, toen gaf ik een lange teugel en liet hem droogstappen.

Er kwam een auto het terrein op rijden. Ik hoorde de motor stil worden.

'Dat is vast mijn moeder,' zei Eliza. Het was inderdaad Annemiek, met het zusje Ping.

'O Sophie, mag Ping hem droogstappen?' vroeg Eliza en zonder te wachten op mijn antwoord: 'Mam, mag Ping even op Sundance?'

Annemiek groette Hélène en Chelly.

'Hoi, Sophie, je hoeft niet iedereen op je pony te laten rijden, hoor!'

Ik leunde naar voren en ging met mijn hand door Sunny's manen. 'Nog eentje dan? Ze weegt haast niks.'

'Vooruit dan maar.'

Ik liet me uit het zadel glijden.

'Kom maar, Ping.'

Ik gaf haar mijn helm en hielp haar opstijgen. Ze straalde.

'Mag ik aandrijven?'

'Heel zacht.'

Ze legde haar benen tegen de zijflappen van het zadel en Sunny maakte iets ruimere stappen.

'Ping is leuk, hè?' fluisterde ik tegen hem.

'Mmm,' zei hij, 'lekker licht en ze zit mooi stil.'

We liepen nog een extra rondje, toen stuurde ik Sunny naar de omheining.

'Ik ga hem op stal zetten,' kondigde ik aan.

'Wij gaan naar huis,' zei Annemiek, 'moet ik jullie nog ergens heenbrengen?' Dat laatste was tegen Amira en Chelly.

'Wij zijn op de fiets,' zei Chelly. 'Sophie, we gaan ook weg.'

Hélène liep niet met me mee naar stal.

'Ik ga Laurens even bellen dat ik eraan kom,' zei ze.

Ik zei niets terug en nam Sunny mee naar de spuitplaats. Mijn poetsspullen lagen er nog. Ik nam zijn hoofdstel af en deed hem zijn halster om, maar maakte het niet vast aan de ring. Hij bleef heus wel staan. Het touw legde ik om zijn hals.

Ik had hem nog maar net afgezadeld, toen Hélène eraan kwam.

'Laurens vraagt of ik meteen kom. Schiet je op?'

Ik legde mijn hand op Sunny's schouder.

'Nee,' zei ik.

'Ik moet weg.'

'Ga maar, ik neem wel een bus. Of ik bel mijn vader straks.'

'Sorry, maar Lau vond het al vervelend dat ik niet mee ben gaan fietsen.'

Het lag op mijn lippen om iets onaardigs over mijn broer te zeggen, maar ik hield mijn mond. Ze komt er wel achter.

Ze verdween en incens was het stil om me heen. Ik pakte de waterslang en waste Sunny's benen.

'Heb je dorst?' vroeg ik hem. Ik maakte een kuiltje van mijn hand en liet er water in lopen. Hij draaide zijn hoofd naar de waterslang en dronk direct van de straal, niet uit mijn hand. Ik nam ook een paar slokken, precies zoals hij.

'Lekker, hè?' zei ik. 'Weet je wat wij gaan doen? We gaan nog een eindje wandelen. Ik weet een plek waar je kunt grazen.'

Ik maakte het halster vast aan de ring en bracht de poets-
mand en het zadel en hoofdstel naar de zadelkamer. Ik keek
even naar de kast van Moonlight. Tineke kwam niet meer terug, dat wist ik zeker.

Sunny stond kalm op mij te wachten, met zijn achterbeen
in ruststand, leunend op de rand van zijn hoef.

'Kom,' zei ik en ik maakte het halster los. We slenterden
samen naar de wei achter de buitenrijbaan. Bij een grasrand
naast de sloot bleef Sunny staan en begon te knabbelen.

Ik ging naast hem zitten en hield het halstertouw losjes
in mijn hand. Af en toe kneep ik zacht in het touw, zodat hij
mijn hand voelde. Hij had zijn hoofd laten zakken. Zijn lippen bewogen heel licht over het gras.

'Sunny,' begon ik. Hij graasde onverstoorbaar door.

'Sinds jij er bent,' ging ik verder, 'is er zo veel veranderd.
Eerst woonde ik in het dorp en had ik alleen Lutske en
Maaike. Nu heb ik heel veel vriendinnen. Maar het zijn niet
allemaal echte vriendinnen.' Sunny keek op.

'Chelly wel!' hoorde ik hem zeggen.

Hij liep een paar stappen verderop en zocht opnieuw tussen de grasprietjes. Ik zag dat hij de mooie polletjes, die mij
het lekkerst leken, juist oversloeg.

'Die moet je eten!' wees ik aan.

'Wat weet jij nou van gras?'

'Nou ja, ik wilde alleen maar helpen.'

Ik telde af op mijn vingers: 'Ik heb Lutske en Maaike natuurlijk nog steeds. Maar daar is Chelly bij gekomen.' Ik
knikte naar Sunny alsof hij mee zat te rekenen.

'En Eliza wordt een echte vriendin. Die begreep dat jij
bang was voor haar krukken. Maar Amira vind ik na vandaag niet meer zo aardig.'

'Op school hoort ze bij jouw groepje,' zei Sunny.

'Ik ga ook geen ruzie met haar maken. Ik wil haar alleen
niet meer meenemen naar jou. Ze houdt helemaal geen re-

kening met je. Ze is een beetje zoals Hélène. Die geeft volgens mij niets om Moonlight. Ze vindt hem alleen mooi. En hij heeft een lekkere galop. Daar gaat het toch niet om?'

Ik wist zo gauw geen antwoord voor Sunny. Hij trok een beetje aan het halstertouw, hij wilde verderop grazen. Ik stond op en ging naast hem staan. Hij hief zijn hoofd op en rook voorzichtig aan mijn bodywarmer. Daar zat nog wat lekkers in. Ik gaf het aan hem.

'Wat vind jij van Hélène?'

'Ik ben blij dat ik Moonlight niet ben.'

'Vind je het fijn dat je mijn pony bent?'

Hij deed net of hij mij niet hoorde.

'Ik ben blij dat jij mijn pony bent. Je bent de allerliefste en de allerleukste.'

'Ik ben helemaal niet zo lief,' liet ik Sunny zeggen.

'Nee, maar dat hoeft ook niet. Je bent mijn pony, voor altijd.'

Ik gaf hem het laatste stukje wortel dat ik had.

'Voor altijd?' vroeg hij met volle mond.

'Voor altijd!' zei ik.

Lees ook over *Sophie*

Mijn pony, mijn pony

Ik heb een eigen pony. Iedereen zegt steeds hoe
gelukkig ik wel moet zijn.
Maar Sundance, mijn pony, is niet lief. Sinds we
verhuisd zijn naar de stad en Sundance op een nieuwe ma-
nege staat, is hij veranderd. Hij dreigt als ik de stal in kom
en hij trapt.
Hij luistert alleen naar Senna, het stalmeisje.
En zij heeft duidelijk een hekel aan mij.
Hoe kan ik haar overhalen me te helpen met Sundance?
Zal hij ooit de pony van mijn dromen worden?